C0-AKJ-094

1 동물농장
2 걸리버 여행기
3 좁은 문
4 돈 키호테
5 죄와 벌
6 정글북
으~~
넌 누구냐!!

아! 오늘 도마뱀 구이가 먹고 싶다. 내 안에 숨은 너, 누구니? 지킬이니! 하이드니!
야! 팬티맨~ 같은 도마뱀끼리 잡아먹어도 되는 거니. 으~~ 야만인!!
고로케 미안~ 지금 난 하이드야. 내 안의 하이드가 자꾸 날 밟으라고 하네!
논술 명작 7
지킬 박사와 하이드

아이세움 논술 | 명작 7

지킬 박사와 하이드

감수 및 개발 참여

책임 감수

박우현 전 한우리독서문화운동본부 교육원장, 동국대 철학 박사

논술 집필진

김창준 경희초등학교 수업개선 연구교사, 독서담당

문계연 논술 연구 및 집필가, 연세대 윤리교육대학원 석사

박민미 동국대 강사, 독서평설 필자, 동국대 철학 박사 수료

오창희 독서지도사, 논술지도사, 고려대 국어교육대학원 석사

아이세움 논술 | 명작 7

지킬 박사와 하이드

원작 R.L. 스티븐슨 | **엮음** 원성렬 | **그림** 김영랑 | **감수** 박우현

펴낸날 2006년 2월 1일 초판 1쇄, 2013년 10월 25일 초판 11쇄

펴낸이 김영진

본부장 조은희 | **사업실장** 이영호

편집장 박철주 | **편집 · 진행** 박은식, 박희정, 임지은, 위혜정 | **디자인** 서남이

펴낸곳 (주)미래엔 | **주소** 서울시 서초구 잠원동 41-10

전화 마케팅 02)3475-3843~4 편집 02)3475-3924 | **팩스** 02)541-8249

등록 1950년 11월 1일 제16-67호 | **홈페이지** www.i-seum.com

ISBN 978-89-378-4090-6 74840

ISBN 978-89-378-4116-3 (세트)

· 책값은 뒤표지에 있습니다.

· 파본은 구입처에서 교환해 드리며, 관련 법령에 따라 환불해 드립니다. 다만, 제품 훼손 시 환불이 불가능합니다.

Mirae N 아이세움은 (주)미래엔의 어린이책 브랜드입니다.

아이세움 논술 | 명작 7
지킬 박사와 하이드
R.L. 스티븐슨 원작
원성렬 엮음 | 김영랑 그림

아이세움
i-seum

| 머리말 |

좋은 책 한 권이 열 학원보다 낫습니다

세월이 가도 우리의 가슴에 남아 있는 책이 고전이요, 시간이 흘러도 우리의 머리에 오래 기억되는 작품이 명작입니다. 좋은 책은 읽는 것만으로도 가치가 있습니다. 어렸을 때 감동 깊게 읽은 책들은 세월이 가도 내 몸에 향기로 남습니다.

책의 향기는 그 어떤 향기보다 향기롭습니다.

독서를 한 후에 생기는 느낌은 상당히 중요합니다. 나의 느낌은 나만의 재산입니다. 그 느낌을 말로 표현하거나 글로 써 보면 한 번 더 생각하는 사람이 됩니다. 한 번 더 생각하면 생각이 깊어지고 정확해집니다.

〈아이세움 논술 | 명작〉은 '좋은 책을 한 번 더 읽자' 는 의도에서 만든 것입니다. 책은 읽어야 내 것이 됩니다. 느낌으로 다가오고 생각으로 다가옵니다. 그러나 학년이 올라가면 올라갈

수록 느낌만이 아니라 자신의 생각도 중요해집니다. 나의 생각이 곧 내가 누구인지를 알려 주는 것이기 때문입니다.

어떤 문제에 대해 자신만의 생각을 적절한 이유와 더불어 쓰는 것이 논술입니다. 〈아이세움 논술 | 명작〉은 책을 다 읽은 후에 그와 관련된 것들을 한 번 더 생각해 보는 데 도움을 줍니다. 그리하여 우리가 읽은 명작을 내 것이 되도록 도와 줍니다. 논술 워크북과 가이드북이 그 역할을 할 것입니다.

좋은 책 한 권은 열 학원보다 낫습니다.

쓰기가 싫으면 그냥 재미있는 책만 읽어도 됩니다. 명작을 읽는 것만으로도 훌륭한 공부를 하는 것이니까요. 그러다 어느 순간에 쓰고 싶은 생각이 들면 써 보세요. 생각나는 대로 써도 좋습니다. 쓴다는 사실만으로도 한 단계 발전한 것이니까요.

가슴에 쓰는 글은 나를 위해 쓰는 글이며 종이에 쓰는 글은 역사를 위해 쓰는 글입니다. 글이 역사를 만듭니다. 명작과 더불어 향기를 느끼고 자신의 글과 더불어 생각하는 사람이 되기를 진심으로 바랍니다.

전 한우리독서문화운동본부 교육원장

박우현

| 추천하는 글 |

명작 읽기의 소중함

열심히 책만 읽기에는 너무 고단한 우리 학생들에게 다시 '논술' 열풍이 불고 있다. 학생들이 스스로 즐겨 그렇게 된 것은 아니지만, 학생들을 위해 결코 나쁜 일이라고만 말할 수는 없을 것이다.

새삼스러운 얘기일 터이지만 좋은 글을 쓸 수 있는 가장 빠른 길은 "많이 읽고(다독多讀) · 많이 쓰고(다작多作) · 많이 생각(다상량多商量)"하는 삼다(三多)밖에 다른 것이 없다.

먼저 다독이 문제다. 많이 읽는다고 해서 아무 책이나 마구잡이로 읽는 것을 다독이라고 하지는 않는다. 많이 읽되, 좋은 책을 읽을 때 그것이 다독이다. 그렇다면 어떤 책이 좋은 책일까?

우선 고전이라 할 명작에는 사람이 세상을 살면서 알아야 할 온갖 삶의 지혜와 가치가 담겨 있다. 가령 〈지킬 박사와 하이드〉에서는 인간 내면에 혼재해 있는 선과 악의 대립을, 〈동물농장〉

에서는 삶을 한없이 타락시키는 전체주의와 아름다운 삶을 지향하는 인간의 무한한 이상의 끊임없는 갈등과 투쟁에 대한 반추를 해 볼 수 있다. 이런 고전을 재미있게 읽고 생각하는 기회를 갖는 것이 바로 좋은 글을 쓸 수 있는 바탕이다. 문제는 고전이 너무 어렵고 분량이 방대하다는 점이다.

이번에 출간된 〈아이세움 논술 | 명작〉은 원전의 내용을 재구성해 어린 학생들이 쉽게 고전과 친해지도록 만들었다. 지루함을 덜기 위해 캐릭터를 사용해서 그 캐릭터들과 끊임없이 교감하며 끝까지 책을 손에서 놓지 못하게 만든 것도 이 시리즈의 특색이요 장점일 터이다. 책 뒤에 논술을 학습할 수 있도록 논술 워크북과 가이드북을 제공하여 '학습과 논술' 이라는 두 문제를 다 해결할 수 있도록 배려한 점도 주목할 만하다. 어린 학생들이 편안하고 소중한 독서 경험을 하리라 본다.

물론 이 명작선은 완역본이 아니므로 이것만 읽어서는 해당 작품을 제대로 읽었다고 말할 수 없을 것이다. 그러나 훗날 학생들이 성장하여 완역본으로 다시 읽고 올바르게 이해하는 데 큰 도움이 되도록 세심한 배려를 했다.

이 점도 이 시리즈가 귀하고 값진 이유이다.

시인

신경림

| 차 례 |

안녕,
난 '뒤뚱뒤뚱 배꼽'이야.
그냥 뒤뚱이라고 불러 줘.
지킬 박사와 하이드를
만나러 가자.

PART 1 명작 살펴보기

PART 2 명작 읽기

하이.
난 '번쩍이는 이빨' 인데
줄여서 번빠리라고 불러 줘.
하이드는 무서워.
지킬 박사만 만나면
안 될까?

PART 3 깊어지는 논술

PART 4 논술 워크북

PART 1

PART 1 PART 1
PART 1 PART 1 PART 1
PART 1 PART 1 PART 1 PART 1
PART 1 PART 1 PART 1 PART 1 PART 1
PART 1 PART 1 PART 1 PART 1 PART 1 PART 1
PART 1 PART 1 PART 1 PART 1 PART 1
PART 1 PART 1 PART 1 PART 1
PART 1 PART 1 PART 1
PART 1 PART 1

명작 살펴보기

이런 이런,
내 안에 내가 너무도 많다고?
자, 지킬 박사도
그게 고민이라는데
한번 만나 볼까?

PART 1
명작 살펴보기

만화로 미리 보기

그때그때 달라요

소심한 부잣집 아이 지킬은 누가 말을 걸어도 인사도 제대로 못했어요. 그래서 친구들에게 따돌림을 당하곤 했지요. 하루는 길거리에서 약 장수, 뒤뚱이를 만났어요. 뒤뚱이는 이상한 약을 주며, 약을 먹으면 친구가 생길 거라고 했어요. 그래서 지킬은…….

한번 먹어 봐~

아주 잠깐
괴로울 뿐이야.
이 약을 먹으면 너는
모두가 원하는 사람이
되는 거야.

아아아아,
그럴 수만
있다면.

하지만 결국 이렇게 되었답니다.

다행이야, 참.
난 오로지 나라서 말야.

그때 그때 여자 아이였다가 남자 아이였다가
자유자재로 변신하던 지킬,
드디어 딱 걸렸네요. 어쩌지? 남자, 여자가
섞여 있을 땐 영락없이 아수라 백작인걸.

어떤 이야기인가요?

내 안에 또다른 내가 살고 있다?

오늘은 여자의 모습으로 내일은 남자의 모습으로, 여러분이 원하는 대로 모습이 변한다고 생각해 보세요. 과연 어떤 기분이 들까요? 아마 처음엔 무척 재미있을 거예요. 그러나 얼마 지나지 않아 혼란이 찾아오겠지요. 진짜 내 모습이 무엇인지 깊은 고민에도 빠질 거예요. 이러지도 저러지도 못하는 상황에서는 만화에서처럼 반쪽으로 나뉜 우스꽝스러운 모습이 될지도 몰라요.

오늘 여러분과 함께 읽어 볼 세계 명작은 〈지킬 박사와 하이드〉입니다. 언제나 선한 마음으로 남을 배려하며 살아가던 지킬 박사가 악마 하이드로 변신하는 이야기지요.

마시면 악마가 되는 약이 있다고?

지킬 박사는 자기 안에 있는 악한 마음을 자유롭게 불러 낼 수 있는 약을 만들게 됩니다. 그리고 자신의 욕망대로 자유롭게 행동하지요. 여러분의 손에도 그런 약이 주어진다면 어떻게 하시겠어요? 그 약을 마시게 될까요?

그러던 어느 날, 어터슨이 하이드의 존재를 눈치채게 되었어요. 모든 것을 알게 된 어터슨은 안전할 수 있을까요? 그리고 지킬 박사는 이제 어떻게 될까요?

〈지킬 박사와 하이드〉는
인간의 본성인 선과 악의
문제를 흥미롭게 다룬 소설로
연극과 뮤지컬로도 많이
공연된 작품이야!

한눈에 살펴보기
아아, 나는
지킬이자 하이드야.
선과 악이 내 몸 안에 들어
있단다.
크크크, 나는
하이드.
착하게 살던 지킬은 몸이
근질근질해지면
날 불러 내지.

Start 발단

변호사인 어터슨은 엔필드에게서 한 남자가 소녀를 무참하게 짓밟은 끔찍한 사건에 대해 듣는다. 그리고 그 남자가 바로 자신의 친구, 지킬 박사의 유산을 상속받을 하이드라는 것을 알게 된다.

expansion 전개

고위 관리인 댄버스 커루 경이 하이드에게 무참하게 살해당하는 장면을 어느 하녀가 목격한다. 경찰은 하이드를 잡기 위해 수사를 벌인다.

climax 절정

지킬 박사와 하이드의 실체가 조금씩 벗겨진다. 그러던 어느 날, 어터슨과 지킬 박사의 친구였던 래넌 박사가 무언가를 보고 두려움에 떨다가 죽는 사건이 발생한다.

ending 결말

지킬 박사는 양심의 가책과 공포를 이기지 못하고 결국 목숨을 끊는다. 지킬 박사가 죽은 후 그가 남긴 글을 통해 모든 비밀이 풀리게 된다.

나는 집사 풀.
박사님을 제대로
모시지 못하다니.
이제 접어.
나는 어터슨,
지킬 박사의 비밀을
추적하지.

어터슨 박사와 함께 일하고 있는 게스트랍니다. 지킬 박사님, 딱 걸렸어요!
난 런던의 유능한 경찰, 뉴커먼! 꼭 잡고 말 거야, 하이드!
나는 엔필드, 하이드의 끔찍한 만행을 이 두 눈으로 똑똑히 봤다고!
나는 의사 래년이야. 지킬 박사의 비밀을 몰랐더라면!

이렇게 읽어 보세요!

내 안에 살고 있는 천사와 악마 ?

소설 〈지킬 박사와 하이드〉는 사람들에게 공포심을 안겨 주는 소설이에요. 사람들은 선과 악이 철저하게 분리된 지킬과 하이드를 보며, 자신 안에 존재하고 있는 악한 모습을 만날 수도 있어요.

〈지킬 박사와 하이드〉의 작가는 우리 마음에 존재하는 선과 악을 두려움의 대상으로 삼았답니다. 누구나 마음 속에 천사와 악마가 싸우고 있지만 그것을 잘 깨닫지 못해요. 그러다가 자신도 모르는 사이에 내 안의 악마를 발견하면 깜짝 놀라며 공포를 느낄 거예요. 〈지킬 박사와 하이드〉는 사람의 심리를 날카롭게 파고드는 작품이랍니다.

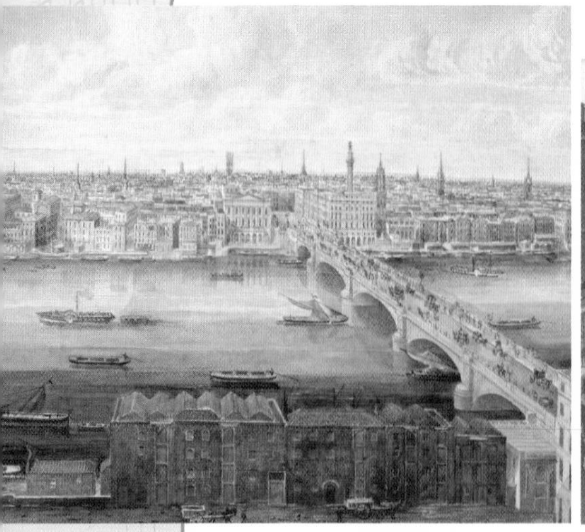

〈지킬 박사와 하이드〉의 무대는 19세기의 영국입니다.

비밀이 완전히 보장된다면 사람들은 마음껏 나쁜 짓을 할거야. 이름을 밝히지 않는 인터넷상에서는 험한 말을 하기도 하잖아.

아무도 알 수 없다면 나쁜 행동을 해도 될까요?

지킬 박사는 다른 사람의 기대에 어긋나지 않기 위해 자기의 욕망은 억제한 채, 좋은 모습만을 보이며 살아왔어요. 하지만 인간의 마음 속에는 선한 마음과 함께 악한 마음도 존재해요. 결국 지킬 박사의 악한 마음은 하이드라는 악마를 불러 냈답니다. 하이드는 지킬 박사와는 다른 성격을 가지고 있지만, 지킬 박사와 같은 사람이에요. 결국 이중 생활을 하던 지킬 박사는 파멸에 이르게 되지요.

〈지킬 박사와 하이드〉를 읽으며 어긋난 욕망이 얼마나 무서운 결과를 초래하는지 잘 생각해 보세요.

▲ 약을 먹으면 마음 속의 악마가 깨어난다! 정말 무서워요.

사람은 기본적으로 착해. 누구나 불쌍한 사람을 보면 안타까워하면서 도와 주려고 하잖아.

 잠시 휴식! 우유 한 잔 마시고 〈지킬 박사와 하이드〉를 읽어 보세요!

PART 2

PART 2 PART 2
PART 2 PART 2 PART 2
PART 2 PART 2 PART 2 PART 2
PART 2 PART 2 PART 2 PART 2 PART 2
PART 2 PART 2 PART 2 PART 2 PART 2 PART 2
PART 2 PART 2 PART 2 PART 2 PART 2
PART 2 PART 2 PART 2 PART 2
PART 2 PART 2 PART 2
PART 2 PART 2

명작 읽기

지금 부터
지킬 박사의 친구 어터슨이 겪은
희한한 이야기를 들어 볼까?
졸지 말고 끝까지 읽기다!

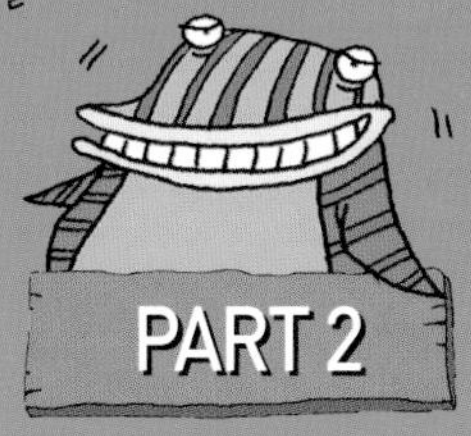

명작 읽기

1장
이상한 사나이

어터슨 변호사는 굉장히 무뚝뚝한 사람이었다. 큰 키에, 마른 편인데다 잘 웃지 않아 화가 난 것으로 오해誤解를 받곤 했다.

하지만 그는 늘 한결같은 태도로 사람들을 대했으며 자신에게 엄격한 것에 비해 다른 사람들에게는 관대한 편이었다. 누군가 잘못을 저질렀다면 그럴 수밖에 없었던 이유를 먼저 생각했고 도움을 줄 방법을 진지하게 고민했다. 그런 성격 때문에 그의 사무실은 문젯거리를 들고 찾

오해(誤解) : 뜻을 잘못 이해함.

흠, 이 소설의
배경은 런던이군.
런던은 영국의 수도야.
템스강이 흐르고 빅벤이라는
커다란 시계와 런던 아이라고
불리는 커다란 회전차, 그리고
버킹엄 궁전이 유명하지.

아오는 사람들로 붐볐다.

어터슨 변호사는 친구가 많지 않았지만 사람을 만나고 바쁜 일정 중에도 가족이나 친구와 시간을 보내는 것을 우선으로 생각했다. 특히 먼 친척뻘인 리처드 엔필드와는 매주 일요일마다 함께 산책을 즐기곤 했다. 대단한 이야깃거리를 가지고 만나는 것은 아니었지만, 어터슨은 엔필드와 골목을 걸으면서 함께 보내는 시간을 소중하게 생각했다.

어느 일요일, 둘은 여느 때처럼 산책을 했다. 계획計劃 없이 터벅터벅 걷다 보니, 런던 번화가의 뒷골목이 나왔다. 평일 저녁이면 사람들로 발 디딜 틈이 없는 곳이었지만, 일요일 한낮만큼은 조용했다.

새로 칠한 상점의 덧문과 반짝이는 놋쇠 손잡이들, 일요일인데도 나와 있는 가게 주인들이 어터슨의 눈을 즐겁

계획(計劃) : 앞으로 할 일의 절차를 미리 세움.

아, 생각만 해도
너무 끔찍해요.
오늘
저녁은 뭘 먹을까?

게 해 주었다. 골목 끝에 다다르자 엔필드가 갑자기 우뚝 멈춰 섰다. 그 곳은 막다른 골목 입구의 어느 집 앞이었다. 번화한 거리와는 달리 한낮인데도 음침한 곳이었다. 어두운 골목 입구에서는 노숙자들이 벽에 기대어 졸거나 앉아서 구걸을 했다.

"아는 집인가?"

어터슨 변호사가 묻자 엔필드가 대답했다.

"예, 바로 이 앞에서 아주 끔찍하고 무서운 사건事件이 있었답니다."

"사건이라고?"

그 집은 몹시 기괴한 느낌이 들었다. 오랫동안 아무도 관리하지 않아서인지, 칠이 벗겨진 벽은 얼룩덜룩했고 축축한 이끼가 끼어 더러워 보였다. 창문 하나 없이 오직 출입문만 덩그러니 있는 것도 이상했다.

"얼마 전에 제가 직접 겪은 일입니다."

사건(事件) : 문제가 되거나 관심을 끌 만한 일.

어른들이 늘 하는 말 있잖아.
밤에 혼자 다니지 말라고.
사실, 어른들도
밤길을 혼자 걷다 보면
무서운 생각이 드나 봐.

"그래? 어떤 사건이었는지 말해 보게."

엔필드는 마른침을 한번 꿀꺽 삼키더니, 차분한 목소리로 말했다.

"그러니까, 벌써 몇 개월 전의 일이에요. 그 날 저는 멀리 여행을 갔다가 막 돌아오는 길이었지요. 아마 새벽 세 시쯤이었을 거예요. 추운 겨울 밤이었는데, 달빛은 짙은 구름에 가려 있어 매우 어두웠어요. 좁고 어두운 골목길이다 보니 무슨 일이 생길지 알 수 없었어요. 경찰이라도 지나가 주었으면 하고 바랄 정도였지요. 바로 그 때, 후다닥 뛰는 발소리가 들렸습니다. 저는 소리가 나는 곳을 바라봤어요. 열 살 남짓한 소녀가 정신없이 저 길을 건너고 있었습니다. 까닥하다간 맞은편의 키 작은 남자와 부딪히겠더군요. 제가 '조심해!' 라고 외치는 순간, 소녀는 이미 그 남자와 부딪혀 넘어졌어요."

엔필드는 그 때 생각이 나는지 움찔했다.

"그 남자는 넘어진 소녀에게 손을 내밀어 일으켜 주기는커녕, 발로 아이의 작은 몸을 짓밟았습니다. 그러고는

이러고 어디로
도망가려고?
에고,
아파라. 흑흑흑
돈을 벌고 싶은
모양이구먼.
얼마면 돼?

이런 이런,
이 때는 전화기나 택시 같은 게
없었을 때라,
의사를 부르러 사람이
직접 찾아가야 했던 거야.
밤이 늦었는데도 불구하고.

모르는 척하고 자기 가던 길을 가려고 하더군요."

"그래서 어떻게 됐나?"

어터슨이 관심關心을 보이자, 엔필드는 신이 나서 말했다.

"저는 당장 그 사람을 잡으러 달려갔습니다. 다행히도 그자는 크게 반항하지 않고, 순순히 따라왔습니다. 하지만 그 때 저를 쏘아보던 눈빛만은 결코 잊을 수 없을 거예요. 뼛속까지 소름이 쫙 끼쳤어요. 소녀 옆에는 벌써 소녀의 가족이 와 있었습니다. 소녀는 잔뜩 웅크린 채 신음하고 있었죠. 그 소녀는 의사를 부르러 갔다가 돌아오는 길이었지요. 때마침 다가온 의사는 소녀를 살펴보더니, 상처는 크지 않다고 말했습니다. 다만, 몹시 놀랐을 뿐이라고 하더군요."

"그런 일이 있었군."

관심(關心) : 어떤 일이나 대상에 흥미를 가지고 마음을 쓰거나 알고 싶어하는 상태.

"이것이 끝이 아닙니다. 사람들은 아이가 다치지 않았다고 해도 그자의 뻔뻔함에 모두 화가 나 있었지요. 의사는 성난 목소리로 외쳤습니다. '이봐, 내가 이 일을 그냥 넘어갈 줄 아나? 당신, 런던에서 얼굴도 못 들고 다니게 될 줄 알아!' 성난 의사의 말에 옆에 있던 사람들이 모두 한 목소리로 그를 몰아세웠어요. 전 사람들이 그렇게 화가 난 모습을 한 번도 본 적이 없었어요. 하지만 그 남자는 아무렇지 않은 표정으로 담담하게 말했어요. '이 일로 돈을 좀 벌어 보고 싶은 모양인데. 좋소, 얼마면 되겠소?' 우리는 100파운드를 아이에게 배상하라고 그를 몰아붙였어요. 그러자 그자는 우리를 바로 이 집으로 데리고 오더니 100파운드짜리 개인 수표를 들고 나왔습니다. 저는 그 수표를 받아 서명부터 확인했지요. 그런데 놀랍게도 수표에 쓰인 이름은 런던 사람이라면 누구나 알 만한 유명한 분이었습니다. 더더구나 그 악랄한 놈하고는 비교도 할 수 없는 훌륭한 분이었지요. 우리는

100파운드면
현재가치로 20만원이야.
그 당시로 치면
엄청나게 큰 돈이었지.

예금 인출
번호표 뽑아 오세요.
떠억!!!

잠깐,
여기서 우리가 알아 두어야 할 것.
런던은 세계적으로
금융업이 발달한 도시였단다.
이 시대에 벌써 수표를 쓰고
은행이 있었던 걸 보면
알 수 있지.

그 수표가 가짜일 거라고 생각해서 못 믿겠다고 말했지요. 그런데 남자는 그 말을 비웃으며 말했습니다. '그럼 내일 아침에 은행에서 현찰로 바꿔 주겠소.' 다음 날 아침까지 우리는 함께 기다렸습니다. 그자와 함께 은행에 가기 위해서였죠. 날이 밝자마자 은행으로 달려간 우리는 놀라지 않을 수 없었습니다."

"왜?"

"모두 의심했던 그 수표가, 진짜가 분명했던 것입니다."

"그랬군."

어터슨의 얼굴이 잔뜩 흐려졌다.

"엔필드, 그 사람이 여기 사는 게 분명한가?"

"그분이요?"

엔필드는 잠시 숨을 고르고 대답했다.

"그 날 밤 상황으로 보면 여기 사셔야 맞지만 알아보니 여기서 아주 가까운 곳에 집이 따로 있으시더군요."

"아니, 그 사람 말고."

어터슨은
하이드라는 사람을
잘 아는 모양인데,
어떻게 된 일이지?

"아, 그 작자요? 아마도 열쇠를 가지고 있었고 몹시 늦은 시각이었으니 이 집에 사는 걸로 봐야겠지요."

어터슨은 다시 한 번 출입문을 유심히 살펴보았다.

"엔필드, 그자의 이름은 무엇이었나?"

"하이드라고 했습니다."

어터슨은 그 이름을 듣고 조금 놀랐다.

"그자가 저 집 열쇠를 가지고 있는 걸 분명히 보았나?"

"그럼요!"

엔필드가 확신確信에 차서 말했다.

"엔필드, 자네가 말한 그 사람이 누구인지 알 것 같군. 오늘 들려준 이야기는 여러모로 고맙게 생각하네."

어터슨은 더 이상 산책을 즐길 마음의 여유가 없었다. 그는 서둘러 엔필드에게 작별 인사를 하고 집으로 향했다. 머릿속이 복잡했다.

확신(確信) : 굳게 믿음.

'하이드!'

어터슨은 그 이름을 입 밖에 꺼내고 싶지 않았다. 그러나 오늘 그는 벌써 몇 번이나 그 수상한 이름을 되뇌지 않을 수 없었다.

하이드는
일단 심보 고약한
졸부의 모습인데.
얼마나 나쁜 사람인지
계속 살펴보자고.

2장
숨는 자와 찾는 자

오후 산책을 마치고 집에 돌아온 어터슨은 몹시 우울했다. 식탁에 앉았지만, 뭘 먹고 싶은 마음이 조금도 들지 않았다. 평소의 어터슨이라면 식사를 마치고 느긋하게 의자에 기대어 종교 서적들을 보다가, 집 근처 교회에서 자정을 알리는 종소리를 듣고 잠이 들었을 것이다.

하이드라는 이름은
'숨는다'는 뜻의
'하이드(Hide)'와 같은 발음이네.
왠지 잘 어울리는 이름인걸.

그러나 오늘 그의 머릿속에는 한 사람의 이름이 맴돌아 몹시 불안했다. 어터슨은 서둘러 촛불 하나를 챙겨 들고 사무실로 향했다.

그는 사무실 금고 깊숙이 넣어 둔 지킬 박사의 유

언장을 꺼냈다. 이 유언장은 어터슨의 도움 없이, 지킬 박사 혼자 작성하고 어터슨에게는 보관만을 부탁했다.

어터슨은 지킬 박사의 유언장을 다시 한 번 꼼꼼히 읽어 보았다.

의학 박사이자 법학 박사인 왕립협회 회원, 헨리 지킬은 사망할 시 모든 재산을 '친구이자 상속자인 에드워드 하이드'에게 상속한다. 또한 지킬 박사가 3개월 이상 아무 이유 없이 집을 비웠을 경우에도 에드워드 하이드는 그의 모든 것을 물려받는다.

하이드는 도대체 누구란 말인가? 어터슨은 뭔가 잘못되었다는 생각을 떨쳐 버릴 수 없었다. 엔필드의 이야기를 듣고 난 후, 어터슨의 의혹疑惑은 더욱 커졌다.

의혹(疑惑) : 의심하여 수상하게 여김.

자, 여기서
다시 한 번 정리.
어터슨과 래년,
그리고 지킬 박사는
서로 절친한 친구 사이란걸
기억해 두자고!

"그자에게 협박을 받은 것이 분명해! 그래, 래년이라면 뭔가 알고 있을 거야."

어터슨은 외투를 걸치고 병원이 모여 있는 광장으로 향했다. 거기에는 어터슨의 친구이자, 지킬 박사의 오랜 친구인 의사 래년이 살고 있었다.

래년의 집에 도착하자, 집사가 어터슨을 거실로 안내했다. 의학 박사인 래년의 집은 개인 병원을 겸하고 있어 찾아오는 환자들로 늘 붐볐으나, 오늘은 늦은 시간이라 조용했다.

말쑥한 차림의 래년은 혼자 포도주를 마시고 있었다. 래년은 나이에 비해 흰 머리가 많았지만 모든 일에 정열적이고 확신에 찬 사람이었다. 어터슨과 래년은 어려서부터 늘 붙어다녔다. 대학도 같은 곳을 나왔을 만큼 둘은 단짝이었다. 무엇보다 둘은 서로를 존경尊敬했다.

어터슨을 보자 래년은 벌떡 일어나 반겼다.

존경(尊敬) : 남의 행위나 인격을 높여 공경함.

지킬 말인가?
그 친구 이야기라면 꺼내지도 말게.
말도 안 되는 소리를 지껄이기에
내가 뭐라고 했더니
그 뒤로 한 번도 못 봤네.
지킬은 머리가
어떻게 됐나 봐.
헉? 저거나 좀 치우게!

"오래간만이야, 어터슨!"

어터슨은 래년과 이런저런 이야기를 나누다가 슬그머니 지킬에 대해 물었다.

"지킬과는 연락하나?"

"헨리 지킬 말인가? 한동안 못 봤네. 지킬이 점점 이상해져서 말이야. 물론 난 지킬을 도우려고 노력했네. 친구니까 말일세. 그런데 갈수록 이상해지더군. 지난번에는 계속 엉뚱한 이야기를 늘어놓기에 쓴소리를 했더니 길길이 날뛰며 화를 내더군."

지킬 박사와
래년은 무슨 일로
다투었을까?
왠지 이게 실마리인 것
같은데.

래년은 흥분을 가라앉히고 덧붙여 말했다.

"그 뒤론 나도 못 봤네."

어터슨은 래년과 지킬이 같은 의사로서 의견 차이가 있었을 것이라고 추측推測했다.

"그럼 혹시, 지킬이 돌봐 주고 있다는 하이드는 아나?"

추측(推測) : 미루어 헤아림.

"하이드? 아니, 처음 듣는 이름인데."

어터슨은 래년이 하이드를 모르는 것만으로도 조금 안심이 되었다. 하지만 실타래처럼 엉켜 있는 지킬과 하이드의 관계를 어떻게 풀어야 할지 막막했다.

어터슨은 개운하지 않은 마음으로 집으로 돌아와 늦은 잠을 청했다. 그러나 도무지 잠이 오지 않았다. 이리저리 뒤척이다 보니, 6시를 알리는 교회의 종소리가 들렸다. 어터슨은 그 때까지도 하이드에 대한 생각에서 벗어나지 못하고 있었다. 생각하면 할수록 더 끔찍한 생각이 들었다.

하이드는 의사를 부르러 바쁜 걸음을 달리던 여자 아이를 잔인하게 짓밟고도 아무런 양심의 가책도 느끼지 않았다. 그리고 뻔뻔하게 지킬 박사를 찾아가 자신의 잘못을 용서받기 위한 대가로 거금巨金을 요구했다. 어떻게 그 새벽에 100파운드나 받아 냈을까!

어터슨은 지킬 박사의 은밀한 침실을 떠올렸다. 실크

거금(巨金) : 많은 돈. 큰돈.

커튼이 스르륵 열리면, 앙상한 하이드의 손이 쑤욱 나타난다.

"지킬, 지금 당장 100파운드만 내놔!"

음산한 하이드의 목소리. 지킬은 덜덜 떨면서 하이드에게 100파운드를 내어 준다. 오, 하느님!

그 날 이후, 하이드는 어터슨의 머릿속에 수시로 드나들었다. 한 번도 본 적 없는 그의 얼굴은 점점 흉악하게 변해 갔다. 천사의 얼굴을 한 지킬과 악마의 얼굴을 한 하이드. 어터슨은 그들이 너무도 어울리지 않는다고 생각했다.

어터슨은
아무래도 변호사라
사건을 많이 다뤘던 모양이야.
문제를 차근차근
풀어 가잖아.

'도대체 하이드는 어떻게 생긴 녀석일까?'

어터슨은 하이드의 얼굴을 한 번만 볼 수 있다면 모든 궁금증이 단숨에 풀릴 것 같았다. 지킬이 그 자를 진심眞心으로 좋아하는 것인지, 아니면 어떤 일로 협박을 당하고 있는지.

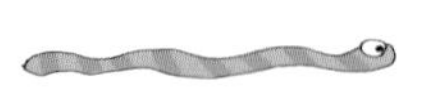

진심(眞心) : 참된 마음.

그 날 이후 어터슨은 하이드가 드나든다던 집 앞을 감시하기로 했다. 사무실 문을 열기 전인 이른 아침이나, 점심시간에 어터슨은 엔필드가 알려 준 그 집 앞을 틈틈이 찾아가 지키고 있었다. 하루 종일 너무 바빠 시간을 낼 수 없을 때는 한밤중에라도 찾아갔다. 인적이 드문 새벽이든 사람이 붐비는 한낮이든 상관 없었다. 항상 그 집 대문이 잘 보이는 곳에 서서 하이드가 나타나길 기다렸다. '숨는 자' 라는 뜻의 이름처럼 하이드는 좀처럼 얼굴을 보여 주지 않았지만 어터슨은 절대 포기하지 않았다.

추운 겨울 밤, 가게들이 모두 문을 닫는 열 시쯤이었을까? 막다른 골목엔 차가운 고요가 맴돌고 있었다.

그 날도 어터슨은 항상 같은 자리에서 하이드를 기다렸다. 몇 분쯤 지났을까? 이상하리만큼 경쾌한 발소리가 들렸다. 그 소리는 어터슨을 바짝 긴장시켰다. 어터슨은 마른침을 삼키고 담벼락에 몸을 숨겼다.

긴장되는 순간인걸.
침이 꿀꺽 넘어가겠어.

발소리가 점점 커졌다. 어터슨은 얼굴만 살

아무래도
저자인 것 같군!
음.
재수 없게 생겼군.
흥, 지킬은 이기적이야.
나를 이렇게 가끔 부르다니.
뒤통수가 근질거리는군.

짝 내밀어 상대를 살폈다. 키가 작은 남자였다. 멀리서 보기에도 왠지 모를 혐오감嫌惡感이 일었다. 남자는 길을 가로질러 문 쪽으로 곧장 걸어가더니 자기 집에 들어가듯 자연스럽게 주머니에서 열쇠를 꺼내 들었다. 어터슨은 서둘러 남자를 불렀다.

"안녕하세요, 하이드 씨?"

하이드는 어터슨을 쳐다보지도 않고 차갑게 대답했다.

"무슨 일이죠?"

"나는 어터슨이라고 합니다. 아마 내 이름은 들어 보셨을 텐데요. 바쁘지 않으시면 차라도 한 잔 주시겠어요?"

"미안하지만 제가 좀 바빠서."

열쇠를 만지작거리며 하이드는 어터슨을 돌아보지 않은 채 말했다.

"실례지만 하이드 씨, 얼굴 좀 볼 수 있을까요?"

하이드는 망설이는 듯하더니, 무언가를 결심한 듯 어터

혐오감(嫌惡感) : 싫어하고 미워하는 감정.

슨 쪽으로 고개를 돌렸다. 두 사람은 잠시 말없이 서로를 뚫어지게 쳐다보았다.

"고맙습니다. 다음번에 당신을 만날 때, 못 알아볼 일은 없겠군요."

어터슨이 말하자 하이드가 대꾸했다.

"별말씀을요. 이렇게 된 거, 제 주소도 알려 드리죠."

하이드는 왜
묻지도 않은 주소를
알려 줬을까?

하이드는 빈민가에 있는 집의 주소를 말해 주었다. 지킬의 유언장에 쓰인 그 주소였다.

'저자는 유언장의 내용을 의식意識해서 말하고 있어.'

그러나 어터슨은 자신의 생각을 내색하지 않으려고 노력했다.

"그런데 내 이름은 어떻게 알았소?"

하이드가 물었다.

"우리는 둘 다 지킬 박사의 친구니까요."

의식(意識) : 어떤 일을 마음에 둠.

"친구?"

쉰 목소리로 하이드가 되뇌었다.

"지킬은 한 번도 당신 이야기를 한 적이 없소. 그리고 지킬은 집에 없소. 여기 있는 건 나뿐이오."

하이드는 곧 소름끼치는 소리로 웃어 댔다. 그러고는 잽싸게 문을 열고 들어가 버렸다. 어터슨은 넋을 잃고 멍하니 서 있었다.

어느 정도 정신을 차리고 난 뒤 어터슨은 천천히 길을 걸었다. 하지만 수시로 멈춰 서서, 이마에 손을 얹었다. 하이드를 만나면 모든 의문疑問이 풀릴 거라고 생각했는데, 오히려 머릿속이 더 복잡해졌던 것이다.

"어려워, 어려운 문제야!"

하이드는 난쟁이처럼 몸집이 작았고 어딘지 모르게 뒤틀린 험상궂은 얼굴이었다. 그의 웃음과 끝이 갈라진 낮은 목소리는 기분 나쁠 정도로 서늘했다. 무엇보다 하이

의문(疑問) : 의심스러운 생각을 함, 또는 그런 일.

오, 불쌍한 어터슨!
친구 일을 자기 일처럼 고민하는군!
나도 어터슨 같은
친구가 한 명 있음 좋겠어.

드는 알 수 없는 공포심을 느끼게 했다. 딱히 설명할 수 없는 공포심이었다.

"오, 이런! 불쌍한 지킬. 어쩌다 하이드 같은 자에게 걸려든 건가!"

좁은 길에서 모퉁이를 돌아 나오자, 크고 멋진 저택들이 늘어서 있었다. 낡은 건물이었지만, 런던의 유명한 사람들이 모여 사는 곳이었다. 어터슨은 그 집들 사이에 있는 지킬 박사의 집으로 걸음을 바삐 옮겼다.

"지킬 박사님은?"

집사 풀은 어터슨을 거실로 안내했다.

"잠시 불 옆에서 몸부터 녹이시죠."

집 안으로 들어서니 천장이 낮은 거실이 나왔다. 벽난로가 활활 타오르고 있었다. 따뜻한 방 한쪽에는 값비싼 장식장이 놓여 있었다.

거실은 지킬 박사가 가장 좋아하는 곳이었다. 어터슨도 런던에서 가장 기분 좋은 방이라고 여러 번 칭찬했던 곳이다. 하지만 하이드의 얼굴이 머릿속에 떠오르자 따뜻한 거실에 있으면서도 가슴이 차가워지는 것 같았다. 벽난로의 이글거리는 불꽃이 천장에 반사되어 어른거리는 것조차 속이 메스꺼울 정도로 불길하게 느껴졌다. 그 때 집사 풀이 들어와 지금 지킬 박사는 집에 없다고 말했다. 어터슨은 목소리를 가다듬고는 풀에게 물었다.

그 문제의 집이,
지킬 박사의
해부실이었구나.

"풀, 예전에 지킬 박사가 해부解剖실로 쓰던 집에 하이드 씨가 들어가는 걸 봤다네. 그래도 괜찮은 건가?"

"그럼요, 하이드 씨는 열쇠를 가지고 있는걸요."

집사 풀이 말했다.

"지킬 박사가 그 친구를 꽤나 믿는 모양이군."

"믿고말고요. 우리에게도 하이드 씨의 말을 잘 들으라고 분부하셨는걸요."

"이상하네. 난 이 집에서 하이드 씨를 만난 적이 한 번

해부(解剖) : 생물체의 내부 상태를 치료, 관찰하기 위해 칼 따위로 자르는 일.

도 없는 것 같은데.”

어터슨이 고개를 갸웃거리며 말했다. 그러자 풀이 대답했다.

“그러셨을 겁니다. 하이드 씨가 이 곳에 건너오는 일은 거의 없었으니까요. 실험실 쪽으로만 드나드시죠.”

“그렇군. 그럼 주인도 없으니 이만 가 봐야겠네.”

“조심히 들어가세요. 어터슨 씨.”

집으로 돌아가는 어터슨의 발걸음은 무거웠다.

‘불쌍한 헨리 지킬! 아무래도 그자에게 뭔가 단단히 잘못 걸린 모양이야. 젊은 시절 그에게 큰 실수를 한 모양이지. 그 땐 어떻게 덮어 놓고 지나갈 수 있었겠지. 하지만 까마득하게 잊고 있었던 지난 일이 지금에서야 지킬을 괴롭히다니!’

어터슨은 혹시 자신도 과거에 뭔가 큰 잘못을 한 일이 없었는지 기억을 더듬었다. 이제껏 정직하게 살았다고 자부해 왔지만 그 동안 저질렀던 사소한 잘못들이 하나 둘 떠올라 어터슨을 부끄럽게 했다. 마지막 순간에 뿌리치기

맞아. 털어서 먼지
안 나오는 사람 없는 법.
아무리 정직한 사람도
자기도 모르게
실수는 할 수 있으니까.

는 했지만 커다란 죄악에 빠질 뻔했던 순간들을 생각하자 한편으로는 다행이란 생각도 들었다. 그러다 하이드가 다시 떠올랐다.

'그래, 분명 하이드란 녀석도 캐 보면 감추고 있는 비밀秘密이 있을 거야. 보나마나지. 그런 주제에 천사 같은 지킬의 약점을 잡아 협박하다니! 이대로 둘 순 없어. 정신을 바짝 차려야 해. 하이드가 지킬의 유언장 내용을 알게 해서는 안 돼! 전 재산이 자기에게 온다는 걸 안다면 하루라도 빨리 상속받기 위해 무슨 짓을 저지를지 몰라. 내가 가엾은 지킬을 도와야 해.'

어터슨의 머릿속에 다시 한 번 유언장의 내용이 또렷하게 떠올랐다.

비밀(秘密) : 남에게 알려서는 안 되거나 드러내지 않아야 할 일.

3장

지킬 박사의 부탁

그로부터 2주가 지난 어느 날, 지킬 박사는 어터슨과 대여섯 명의 친구들을 저녁 식사에 초대했다. 그들은 모두 높은 학식 덕에 존경을 받는 사람들이었다. 어터슨은 다른 사람들이 식사를 마치고 떠난 뒤에도 여느 때처럼 지킬 박사와 이야기를 나누며 남아 있었다.

어터슨은 무뚝뚝했지만 마음을 나누기엔 좋은 상대였다. 때때로 어터슨의 성격을 오해하던 사람들도 대화를 나누어 본 후에는 그의 매력에 금세 빠져들곤 했다.

지킬 박사도 마찬가지였다. 벽난로를 사이에 두고 어터슨과 마주 앉은 지킬의 표정에는 어터슨에 대한 존경과

만족스러움이 담겨 있었다.

"지킬, 할 말이 있네. 내가 가지고 있는 자네의 유언장 말일세."

지킬 박사는 아무렇지 않다는 듯 말했다.

"내 유언장 때문에 신경이 많이 쓰이나 보군. 자네한테 짐이 되는 줄 알면서도 부탁할 수밖에 없는 내 사정을 이해해 주게. 그래, 그 잘난 척하는 래년을 제외한다면 자네가 내 생각을 제일第一 많이 해 주는 걸 알아. 물론 래년도 좋은 친구지. 그렇게 얼굴 찌푸리지 말게. 래년에게 무척 실망한 일이 있었으니까."

지킬이 하는 말과는 상관 없이 어터슨이 말했다.

"지킬, 난 그 유언장을 인정할 수 없어."

"내 유언장 말인가?"

지킬 박사가 약간 날카로워진 목소리로 말했다.

"최근 하이드에 대해 좀 알게 됐네."

제일(第一) : 여럿 중 첫째 가는 것.

순간 지킬 박사의 크고 잘생긴 얼굴이 파랗게 질렸다.

"자네가 얼마 전에 하이드를 만났다는 건 하이드에게 들어서 이미 알고 있었네. 만약 하이드가 버릇없이 굴었다면 내가 대신 사과하지. 그러니 이 문제問題는 더 이상 얘기하지 않았으면 하네."

"하지만, 지킬. 조금 심각한 이야기를 들어서 그래."

어터슨이 차분하게 말했다.

"그렇다 해도 달라질 건 없네. 내가 처한 상황을 자네에게 설명할 수는 없어. 설명한다 해도 아마 이해하지 못할 걸세."

"지킬, 내가 자네를 실망시킨 적이 있었나? 날 믿고 말해 주게."

"어터슨, 물론 자넨 좋은 친구지. 나도 자네를 믿네. 그러니 내가 자네에게 유언장을 부탁하지 않았겠나. 하지만 이 문제는 그렇게 간단하지 않아. 또 걱정하는 것처럼 심

문제(問題) : 성가신 일이나 논쟁이 될 만한 일.

유언장에 대해서는
너무 걱정 말게. 그리고
하이드가 문제를 일으킨다면
언제라도 그를 멀리할 수 있어.
어터슨, 내가 도움이 필요할 때
얘기를 하겠네.
...... 정말인가?

각한 상황도 아니고. 한 가지 분명한 건, 언제라도 내가 하이드를 멀리할 수 있다는 걸세. 맹세하지, 어터슨!"

지킬 박사는 단호했다. 그 눈빛에 어터슨은 순간 할 말을 잃었다. 어터슨은 타오르는 벽난로의 불꽃을 보며 잠시 생각했다. 하이드는 믿을 수 없지만, 지킬 박사의 말은 믿을 수 있었다. 숨통을 바짝 조였던 하이드의 손길이 잠시 느슨해지는 것 같은 안도감이 들었다.

"알겠네. 자네 말을 믿겠네."

어터슨은 자리에서 일어났다. 지킬 박사도 어터슨을 따라 자리에서 일어나며 말했다.

"어쨌든 하이드는 내게 중요한 사람이네. 그러니 내가 죽거나 오랫동안 자리를 비운다면 자네가 그를 잘 챙겨 주길 바라네. 자네가 그렇게 약속해 준다면 내 마음이 훨씬 편할 거야."

"그자를 좋아하는 척은 못 하네."

어터슨이 미간을 찌푸리며 말했다.

"그저 내가 여기 없을 때, 날 봐서 그 녀석을 도와 달라는 것뿐이네."

지킬 박사는 어터슨의 팔을 잡고, 간절하게 말했다. 어터슨은 깊은 한숨을 내쉬며 대꾸했다. 그의 선한 눈빛을 거절할 수는 없었다.

"알겠네. 정 그렇다면 약속하지."

지킬 박사의 태도를 보면
협박을 받고 있는 것 같진 않아.
어터슨이 무슨 오해를 하고
있는 게 아닐까?

4장
댄버스 커루 경 살인 사건

이듬해 10월의 일이다. 템스 강에서 그리 멀지 않은 집에 사는 한 하녀가 잠자리에 들기 위해 11시쯤 침실로 올라갔다. 구름 한 점 없이 달빛이 무척 환한 밤이었다. 늘 어둑어둑했던 골목이 그 날 따라 달빛을 받아 푸르스름하게 빛났다.

하녀는 침실 창턱에 비스듬히 기대어 앉아 창 밖을 내다보고 있었다. 길거리를 바라보며 낭만적인 상상에 빠져들었다. 그녀는 평화롭게 지나가는 사람들을 구경했다. 골목 저 편에서 멋진 백발의 노신사가 걸어오는 것이 보였다. 반대쪽에서 마주 걸어오는 키 작은 남자도 보였다.

하녀는 멋진 차림의 노신사를 바라보느라, 맞은편 사람을 제대로 보지 못했다. 하지만 곧 이야기를 나눌 수 있을 만큼 둘의 거리가 가까워졌다.

노신사는 맞은편 남자에게 예의를 갖춰 인사를 하고는 무슨 말인가를 건넸다. 단순히 길을 묻는 것이라고 하녀는 생각했다. 얼굴에 미소를 띤 노신사는 기품이 넘치는 사람이었다. 그는 온몸에 친절함이 배어 있었다. 하녀는 맞은편 남자도 바라보았다. 그러고는 그 남자가 얼마 전 자기의 주인을 방문했던 하이드라는 사실에 잠시 놀랐다.

하이드는 지팡이를 신경질적으로 만지작거리고 있었다. 아무 대꾸도 없이 노신사의 말을 듣고만 있는 것 같았다. 그의 외투 자락이 떨리는 것을 보며 하녀는 불안한 마음이 들었다. 바로 그 때 하이드가 갑자기 미친 사람처럼 화를 내며 몹시 흥분하더니, 노신사를 향해 지팡이를 마구 휘둘렀다. 깜짝 놀란 노신사는 한 걸음 뒤로 물러섰지만 그 모습을 본

봐, 완전 범죄란 없다니까.
하이드는 나쁜 짓을 할 때마다
번번히 누군가에 의해
발각되잖아.

Help me!
오, 세상에! 하느님,
이런 끔찍한 일을!

하이드는 사냥에 나선 짐승처럼 노신사에게 달려들었다. 하이드의 지팡이가 노신사의 허리와 어깨, 머리 위를 내리쳤다. 노신사가 쓰러진 후에도 하이드는 그 위에 올라서서 계속 지팡이를 휘둘렀다. 노신사의 시체가 바닥에서 들썩이는 것을 본 하녀는 그 끔찍함에 그만 기절하고 말았다.

하녀가 깨어난 것은 새벽 2시쯤이었다. 정신을 차린 하녀는 놀란 가슴을 쓸어 내리며 비틀비틀 일어섰다.

'오, 세상에! 하느님, 이런 끔찍한 일을!'

하녀는 그렇게 수백 번 되뇌며, 경찰서로 달려갔다. 당장이라도 숨이 멎을 것처럼 가슴이 격렬激烈하게 뛰었다.

경찰이 범죄 현장에 왔을 때, 하이드는 이미 사라진 뒤였다. 남은 것이라고는 하이드의 부러진 지팡이와 허리를 접고 쓰러져 있는 희생자뿐이었다. 희생자에게서 금시계

격렬(激烈) : 몹시 세참.

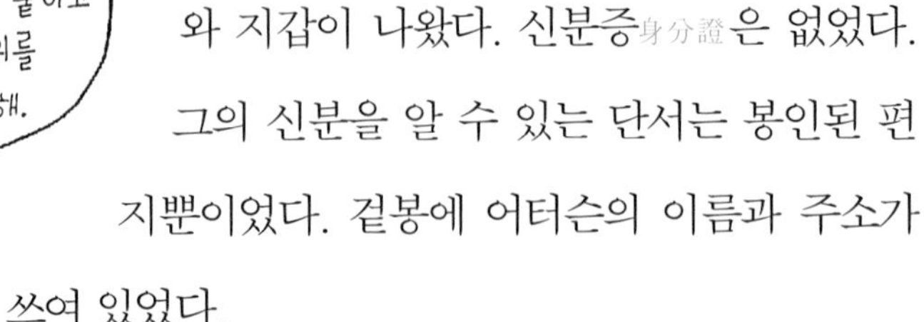

여기서 봉인된 편지란,
다른 사람이 볼 수 없도록
촛농으로 편지 봉투를 붙이고
그 위에 도장 따위를
찍어 놓은 걸 말해.
봉인된 편지

와 지갑이 나왔다. 신분증身分證은 없었다. 그의 신분을 알 수 있는 단서는 봉인된 편지뿐이었다. 겉봉에 어터슨의 이름과 주소가 쓰여 있었다.

편지는 다음 날 이른 아침 어터슨에게 전해졌다. 어터슨이 잠에서 덜 깬 눈으로 편지의 내용을 확인하는 동안 경관들은 어젯밤의 끔찍한 사건을 설명해 주었다. 어터슨의 표정이 점점 굳어졌다.

"일단 피해자부터 보러 갑시다."

어터슨은 곧 경찰서로 향했다. 피해자의 얼굴을 확인한 순간, 어터슨의 입에서 신음이 쏟아졌다.

"아아, 이런! 댄버스 커루 경이 맞군요."

"예, 뭐라고요? 정말입니까?"

경관들이 소리쳤다.

"세상에 이런 일이!"

신분증(身分證) : 사람의 지위나 자격을 증명하는 문서.

어젯밤 아주 끔찍한
사고가 있었습니다. 살인 사건이 죠!
한데 피해자 주머니에서
이게 나왔어요. 혹시 아시는 분이라면
함께 가셔서 확인을 부탁드립니다.
신분을 증명할 게 하나도 없더군요.
나도 보여 줘~

잠시 주변이 소란스러웠다. 큰 사건을 맡았다는 생각에 눈을 반짝이며 한 경관이 어터슨에게 말했다.

"이제 온 런던이 떠들썩해지겠군요. 어터슨 씨, 범인을 잡도록 도와 주시면 고맙겠습니다."

경관은 어터슨에게 사건 현장에서 찾은 부러진 지팡이를 보여 주며 그것이 범인 하이드의 것이라고 말해 주었다. 하이드라는 이름을 듣고 굳어 버렸던 어터슨의 얼굴이 부러진 지팡이를 본 순간 더욱 파랗게 질리고 말았다. 그것은 몇 년 전 어터슨이 지킬 박사에게 선물한 것이 분명했다. 어터슨은 더듬더듬 물었다.

어, 하이드가
왜 어터슨이 지킬에게 준
지팡이를 들고 있었던 거지?

"하녀가 봤다는 그 남자, 하이드 씨 말입니다. 키가 작았나요?"

"하녀의 표현대로라면 눈에 띄게 작고 사악하게 생겼다고 합니다."

경찰이 옆에서 대답했다. 그 말에 어터슨 씨는 숨을 고르고 말했다.

"그자가 있는 곳을 알고 있습니다. 내 마차를 타고 같이 가시죠."

아침 9시, 초겨울 아침엔 안개가 유난했다. 느리게 달리는 마차 안에서 어터슨은 희미한 햇빛과 안개 속에서 시시각각 달라지는 풍경風景을 내다보고 있었다. 안개는 순간적으로 갈라졌다가, 바람과 함께 소용돌이치곤 했다. 그 사이로 한 줄기 가느다란 햇빛이 잠깐 동안 나타났다 사라졌다.

곧 하이드의 동네가 보였다. 노숙자들은 잠에서 덜 깬 몸을 추스르지 못한 채 이리저리 자리를 옮기고 있었다. 밤사이 꺼 놓지 않은 거리의 가로등이 짙은 안개 속에서 불을 밝히고 있었다. 금세라도 사건이 벌어질 것처럼 불안한 거리였다. 어터슨은 하이드의 악몽 속으로 다시 빠져드는 것이 불쾌했다. 옆에 앉은

아, 런던은
안개의 도시라고 불릴 정도야.
짙은 안개 때문에
따뜻한 햇볕을 하루 종일
보는 게 소원이라나.

풍경(風景) : 자연의 아름다운 모습.

경관의 모습을 보며, 어터슨은 법을 집행하는 자들이 얼마나 위협적일 수 있는가를 생각했다. 때로 가장 정직한 사람들조차 그들 앞에서는 공포에 떨 수 있다는 것도 깨달았다.

일행은 하이드의 집 앞에 마차를 세웠다. 어터슨은 그가 전에 말했던 유언장에 적힌 주소를 기억하고 있었던 것이다. 안개는 언제 그랬냐는 듯이 걷혀 있었고 거리는 어떻게 모습을 추슬러 볼 겨를도 없이 맨얼굴을 드러냈다. 진(Gin, 독한 술의 일종)을 파는 술집, 싸구려 음식점, 쓰레기 같은 잡지나 샐러드를 파는 구멍가게, 누더기를 걸친 아이들이 현관 앞에서 밀치락달치락하는 모습이 눈앞에 보였다. 여기가 바로 헨리 지킬의 25만 파운드를 고스란히 상속받고, 그의 비호庇護를 받고 있는 하이드가 있는 곳이었다. 경관이 대문을 똑똑

이 집은 하이드가
예전에 알려 주었던
자기가 산다던 그 집?
유언장에 나온 주소지 말이야.
빈민가에 있다더니.
정말이었네.

비호(庇護) : 감싸 보호함.

두드렸다. 숨을 죽이고 기다리는 동안 인기척이 들리고 문이 열렸다. 모두의 기대와는 달리, 문을 열어 준 사람은 흰 머리에 희멀건 얼굴을 한 노파였다. 알 수 없는 웃음을 띤 노파는 의외로 친절히 손님을 맞았다.

"하이드 씨는 지금 안 계십니다만."

"어디 가셨습니까?"

"그건 제가 모릅니다. 다만 새벽에 들어오셔서 한 시간쯤 전에 나가셨지요."

하이드가 늘 그렇게 불규칙한 생활生活을 하기 때문에 노파는 이상한 점을 못 느꼈다고 했다. 거의 두 달 만에 집에 들른 것이라는 말도 함께 덧붙였다.

"알겠습니다. 죄송하지만, 하이드 씨의 방을 볼 수 있겠습니까?"

어터슨의 말에 노파가 난처해하는 기색을 표했다. 그러자 옆에 서 있던 경관이 말했다.

생활(生活) : 살아서 활동함. 생계를 유지하여 살아감.

정말 이상한 일이군요.
아무리 급해도
이런 서류를 태우는 것보다는
지팡이 따위를 치우는 게
우선이었을 텐데요.
방 안이
난장판이구먼~
CHECK

“저는 런던 경찰국의 뉴커먼 경위라고 합니다. 사건 조사에 필요한 일이니, 협조를 부탁드립니다.”

“하이드 씨가 사고를 쳤군요.”

노파는 따라오라는 손짓을 하고는 하이드의 방으로 그들을 안내했다. 어터슨과 뉴커먼 경위는 서로 눈빛을 주고받았다.

“하이드 씨가 다른 사람에게 호감을 주는 사람은 아니었나 보군요.”

경위의 말에 노파가 피식 웃으며 하이드의 침실 문을 열어 주었다.

하이드는 그 집에서 두 개의 방을 쓰고 있었다. 노파와 하이드만 사는 집이었지만 집은 품격品格 있는 고급 가구로 꾸며져 있었다. 특히 어터슨의 눈길을 사로잡은 것은 그림들이었다. 미술에 조예가 깊은 지킬 박사가 선물한 것이 분

이 때만 해도 과학적인 수사가
활발하지 않아서
증거를 확보하는 일이 시급했지.
잘했어! 뉴커먼.

품격(品格) : 사람이나 물건에서 느껴지는 품위.

명했다.

그렇지만 집 안 곳곳에 급하게 들쑤셔 놓은 듯한 흔적이 남아 있었다. 주머니를 뒤집어 놓은 옷가지가 바닥에 흩어져 있었고, 열쇠로 열게 되어 있는 서랍도 삐죽 열려 있었다.

벽난로에는 아직 열기가 남아 있는 재가 수북했다. 아마도 급히 서류들을 태운 모양이었다. 뉴커먼 경위는 미처 불길에 타지 않은 녹색 수표책의 끝 부분을 찾아 냈다. 부러진 지팡이의 나머지 반 쪽도 문 뒤에서 발견됐다.

범인의 행동이 영 수상한걸.
지팡이를 범죄 현장에 두고 가다니!
자신이 죄를 저지른 것이
탄로날 게 뻔한데 말이야.

뉴커먼 경위는 하이드가 범인이라는 확실한 물증을 잡은 것이 기쁜 모양이었다.

하이드의 집을 수색하고 난 뉴커먼 경위는 수표책 끝을 가지고 은행으로 갔다가, 하이드의 계좌에 수천 파운드가 입금된 것을 확인하고는 아주 만족스러운 표정을 지었다.

"충분해! 이제 수배 전단을 내리고 그놈이 은행에 나타나기만 기다리면 됩니다."

뉴커먼 경위는 자랑스럽게 말했다.

"범죄에 쓰인 지팡이를 그냥 두고 가다니! 하긴, 그런 끔찍한 죄를 저질렀으니, 정신이 없을 수밖에."

끌끌 혀를 차는 뉴커먼 경위를 보면서도 어터슨은 뭔가 찜찜한 기분을 떨쳐 버릴 수 없었다.

'정말 이상해. 이런 상황에서 지팡이를 숨기는 대신에 서류 따위를 태우고 있었다니.'

수배 전단을 만드는 일은 뉴커먼 경위의 말처럼 쉽지 않았다. 하이드를 아는 사람이 드문 데다 그의 가족마저 찾을 수 없었던 것이다. 초상화는 물론 사진 한 장 남아 있지 않았다. 또 하이드를 봤다는 사람들조차 생김새를 말하는 데 서로 차이가 났다. 그러나 보는 순간 말로 표현하지 못할 두려움을 느꼈다는 말은 한결같았다.

5장
하이드의 편지

어터슨은 오후 늦게 지킬 박사를 찾아갔다. 집사 풀이 어터슨을 반갑게 맞으며 지킬 박사에게 안내案內해 주었다. 주방 옆으로 난 길은 한때 멋진 정원이었던 뜰을 따라 실험실이나 해부실로 쓰이던 건물로 이어졌다. 지킬 박사는 정원 건너편에 있던 이 건물을 구입해서 내부 구조를 자신의 취향에 따라 화학 실험실로 바꾼 것이었다.

지킬 박사와 가까운 사이인 어터슨조차 이 곳에 한 번도 들어와 본 적이 없었다. 그는 호기심어린 눈으로 건물을

안내(案內) : 인도하여 내용을 알려 줌.

살폈다. 원형 강의실을 지나면서 주위를 둘러보던 어터슨은 이상한 두려움을 느꼈다. 한때 학생들로 넘쳤을 이 강의실엔 화학 실험 기구가 아무렇게나 놓여 있고 나무 상자들이 뒹굴고 있었다. 마치 폐허 같은 느낌이었다.

강의실을 지나자 지킬 박사의 밀실이 나왔다. 밀실은 생각보다 꽤 컸으며 유리 진열장들이 벽면을 따라 놓여 있었다. 전신 거울과 사무용 책상도 있었다. 지저분한 유리창에는 쇠창살이 쳐져 있었고, 창문 밑으로는 막다른 골목이 내려다보였다. 활활 불타오르는 벽난로 앞에 앉아 있는 지킬 박사는 무척이나 쇠약해 보였다. 지킬 박사가 앉은 채 손을 내밀어 악수를 청했다. 그는 평소와는 달리 몹시 지친 목소리로 인사를 건넸다.

"소식은 들었겠지?"

풀이 나간 후에 어터슨이 말했다.

"광장에 모인 사람들이 수군대는 얘기를 들었네."

지킬 박사는 떨고 있었다.

다시는,
다시는 나타나지 않을 거야.
내가 나타나지 못하게 할 거야.
아, 벌써 그렇게 해야 했어.
어터슨, 하이드가 나에게
쪽지를 보내 왔어.
거기에 그렇게 적혀 있었다네.
내 탓이네.
여기 휴지요~

"커루 경은, 자네와 마찬가지로 내 고객이었네."

어터슨이 목소리를 가다듬으며 침착하게 말했다.

"자네, 설마 그런 살인마를 감쌀 생각은 아니겠지?"

"맹세코 다시는 그 녀석에게 눈길조차 주지 않겠네."

지킬 박사는 몹시 격앙激昂되어 있었다.

"내 명예를 걸고 약속하지. 죽을 때까지 다시는 하이드를 만나지 않을 걸세. 다 끝났어! 내 말을 믿게. 다시는 나타나지 않을 거야."

"어떻게 확신하나?"

지킬 박사의 단호한 말투와 흔들리는 눈동자를 바라보는 어터슨은 불안했다.

지킬 박사의 말이 이상한걸.
마치 자기 결심을
이야기하듯이 하이드의 이야기를
하고 있잖아.

"지킬, 자네 스스로를 위해서도 그 말이 사실이길 바라네. 만약 재판이 열리게 되면 자네 이름도 오르내릴 거야."

"알고 있네. 하지만 조금도 걱정 말게. 하이드는

격앙(激昂) : 감정, 기운 따위가 세차게 일어나 높아짐.

다시는 얼굴을 드러내지 않을 거야."

지킬 박사는 테이블 위에 놓인 편지를 꺼내 어터슨에게 내밀었다.

"사실, 자네의 도움이 필요하던 참이었어. 하이드에게서 편지를 한 장 받았는데, 이걸 경찰에 보여 줘야 할지, 말아야 할지 모르겠어. 그래서 자네에게 먼저 보여 주려고 기다렸네. 자네라면 현명한 판단을 할 테니까."

"그 편지 때문에 하이드가 잡힐까 봐 걱정이 되나?"

어터슨이 물었다.

"무슨 소리! 이제 그 녀석과 난 아무 상관 없는 사이야. 이건 단지 내 명성名聲과 관계된 일이라네. 난 이 끔찍한 사건에서 발을 빼고 싶어."

지킬 박사는 진저리를 치며 말했다. 하이드에게 전 재산을 고스란히 주겠다고 유언장을 썼던 지킬이었다. 어터

명성(名聲) : 좋은 평판. 명예로운 평판.

슨은 지킬의 변덕에 충격을 받았다. 하지만 곧 누구라도 하이드가 저지른 끔찍한 짓을 두고 배반을 하지 않을 수 없을 거라고 이해했다.

"이리 줘 보게."

편지의 글씨체를 흘깃 보고 어터슨은 다시 고개를 갸우뚱했다. 살인의 증거가 되는 지팡이는 버려 놓고 서류를 태우더니, 이번에는 감정이 느껴지지 않을 만큼 반듯한 글씨체로 쓴 편지라니! 어터슨은 하이드가 냉혹한 사람이라고 생각했다.

편지의 마지막에는 '에드워드 하이드'란 서명이 있었다. 편지에는 오랫동안 은혜를 베풀어 준 지킬 박사에게 배은망덕背恩忘德한 행동을 한 것을 진심으로 사과하며 자신은 안전한 곳에 몸을 숨겼으니 걱정하지 말라고 쓰여 있었다. 어터슨은 지킬 박사가 하이드의 협박에 시달리고 있는 건 아닐까 걱정했던 마음이 스르르 놓이는 걸 느꼈

배은망덕(背恩忘德) : 남에게 입은 은덕을 저버리고 배반함.

다. 도리어 자신의 걱정이 지나쳤다고 후회했다.

"봉투는?"

어터슨이 증거물을 확보하기 위해 지킬 박사에게 물었다. 우체국에서 받은 것이면 소인消印이 찍혀 있을 것이고, 그러면 하이드의 뒤를 밟을 수 있다고 생각했다.

"태웠네."

지킬이 떨리는 목소리로 대꾸했다.

"그게, 우체국을 통해 온 게 아니라, 웬 심부름꾼 녀석을 통해 받았거든."

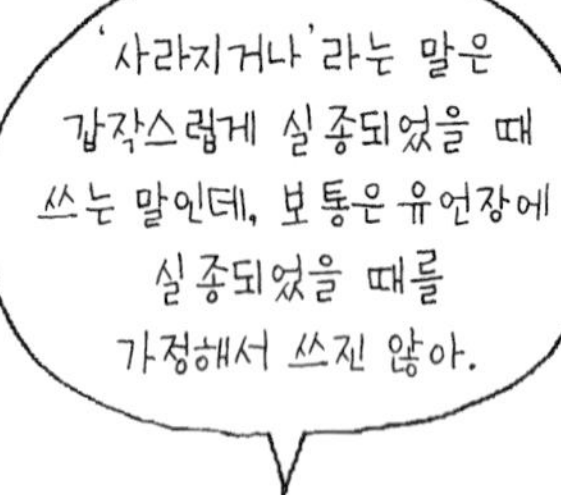

'사라지거나'라는 말은 갑작스럽게 실종되었을 때 쓰는 말인데, 보통은 유언장에 실종되었을 때를 가정해서 쓰진 않아.

어터슨은 하이드가 보통내기는 아니라고 생각했다.

"내가 가져가도 되겠나?"

"그렇게 하게. 자네가 잘 알아서 처리해 주게."

지킬은 조금 진정이 되는지, 의자에 몸을 깊숙이 파묻으며 말했다.

소인(消印) : 우체국에서 사용했다는 표시로 엽서나 우표에 찍는 날짜 도장.

"지킬, 자네 유언장에 나오는 '사라지거나' 란 말은 하이드가 넣으라고 강요한 건가?"

느슨하게 풀어졌던 지킬 박사의 근육이 순간 팽팽하게 긴장했다. 잠시 후, 그는 말없이 가볍게 고개를 끄덕였다.

"역시 그랬군."

어터슨은 하이드에 대한 자신의 생각을 말했다.

"그자는 자넬 죽일 속셈이었던 거야. 운이 좋았다고 생각하게!"

지킬 박사는 두 손으로 얼굴을 감싸며 울먹였다.

"사실, 목숨보다 더 중요한 교훈을 얻었네. 정말 중요한 교훈을 말이야."

집을 나서며 어터슨은 집사 풀에게 말을 건넸다.

"오늘 심부름꾼 하나가 지킬 박사에게 편지를 전했다던데, 그 심부름꾼이 어떻게 생겼는지 기억나나?"

"심부름꾼이요? 저는 오늘 어터슨 씨와 집배원밖에는 못 봤는데요."

그런데 지킬의 유언장에
그런 말이 쓰여 있으니,
어터슨이 이상하게
생각했던 거지.

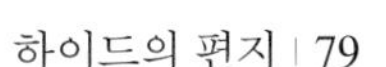

어터슨은 집사 풀의 말에 소름이 돋았다. 그럴 리 없다고 생각하려 했지만 의혹은 쉽게 떨쳐지지 않았다. 그 편지가 심부름꾼을 통해 지킬에게 전달된 것이 아니라면? 그렇다면 그 편지는 지킬 박사의 밀실에서 쓰였단 말인가? 만약 그렇다면 이야기는 완전히 달라진다. 더 심각한 문제들이 생기는 것이다.

'아니야, 풀이 없을 때 왔을 수도 있잖아.'

거리에서는 신문팔이 소년이 쉰 목소리로 소리치고 있었다.

"호외號外요! 호외! 충격, 하원 의원 커루 경 살해되다!"

어터슨은 이 사건으로 인해 친구 지킬 박사의 이름이 더럽혀질까 걱정이 됐다. 늘 신중하게 문제를 처리하는 어터슨이었지만 이번만큼은 더 신중해질 수밖에 없었다. 누군가의 조언이 절실했다.

어터슨은 자신의 사무실에서 함께 일하는 사무 주임,

호외(號外) : 정기적으로 발간하는 것 외에 임시로 발간하는 신문이나 잡지.

NEWS
호외요~
심부름꾼
혹시 심부름꾼이 다녀갔나?
아니요!

게스트와 마주 앉았다. 둘은 지하 창고에서 오랫동안 숙성시킨 포도주를 마셨다. 도시는 안개에 푹 젖어 있었다. 군데군데 붉은 보석을 박아 놓은 것처럼 가로등만이 반짝였다. 자욱한 안개에 뒤덮인 길 저 편에서, 마차가 지나는 경쾌한 소리만 울려 왔다. 따뜻한 방에 앉아 포도주를 마시니, 금세 취기가 올랐다. 병의 포도주가 줄어들수록, 어터슨의 기분도 점점 좋아졌다.

게스트는 어터슨이 마음을 터놓을 수 있는 가까운 사람이었다. 종종 일 때문에 지킬 박사의 집을 드나들어서 지킬 박사나 집사 풀과도 잘 아는 사이였다. 의문을 풀어 줄 실마리가 될 이 편지를 본다면 뭔가 도움이 되는 말을 해 줄 것만 같았다.

"댄버스 경 사건은 애석한 일이야."

"정말 그래요. 그 일을 저지른 놈은 정신병 환자가 분명합니다."

"자네는 그 사건을 어떻게 생각하나?"

어터슨이 물었다.

"사실 나에게 그 살인자가 쓴 편지가 있네. 도대체 어떻게 해야 할지 모르겠어. 혹 내가 놓친 것이 없는지, 한번 보아 주겠나?"

어터슨은 서랍에서 편지를 꺼내어 게스트에게 보였다. 게스트는 편지를 열심히 들여다봤다.

"그런데 글씨체가 눈에 많이 익습니다!"

게스트의 눈이 반짝였다. 바로 그 때, 하인이 들어와 쪽지를 전했다.

"뭔가요?"

"아, 지킬 박사가 보냈군. 저녁이나 함께 하자는데, 함께 가 볼 텐가?"

바로 그때 게스트의 눈이 또다시 반짝였다.

"저, 죄송하지만 그 쪽지 좀 저에게 주시겠어요?"

게스트는 들고 있던 편지지와 종이 쪽지를 나란히 놓고, 꼼꼼하게 글씨를 비교했다. 짧게 신음 소리를 내더니 의미심장하게 웃었다.

"재밌군요! 이 쪽지와 이 편지지의 글씨체가 닮은 것

이것 보세요.
이 두 글씨체가 같은 사람 게
아닌가 싶은데요.
여기 이렇게 기울이면
똑같잖아요.
그런가? 아~ 취한다.

같지 않아요?”

어터슨은 게스트가 내민 쪽지와 편지를 받아 나란히 놓고 봤다.

지킬 박사와 하이드의
글씨체가 같다고?
그럼 지킬 박사가 여전히
하이드를 감싸고 있다는 말이잖아.
어터슨이 걱정할 만한걸.

“보세요, 여기 이 글자들을! 약간 기울여 쓴 정도만 다른 것 같은데요.”

“정말 그렇군!”

“그렇다니, 이상하군요!”

게스트가 모르겠다는 투로 말했다. 어터슨은 잠시 그 편지와 쪽지를 내려다보더니 게스트에게 말했다.

“이 일은 비밀로 해 주겠나?”

“예, 그러지요.”

믿음직한 게스트가 대답했다.

그 날, 어터슨은 지킬 박사가 보낸 쪽지와 하이드가 썼다는 편지를 금고에 넣고 잠갔다.

‘도대체 어떻게 된 거지? 지킬이 살인자를 위해 편지를 위조하다니!’

어터슨은 피가 얼어붙는 것만 같았다.

6장
래년에게 생긴 기괴한 사건

댄버스 커루 경의 죽음은 시간이 꽤 흐른 뒤에도 런던을 시끄럽게 하기에 충분할 만큼 큰 사건이었다. 하이드의 목에는 높은 현상금이 걸렸지만 누구도 그를 찾아 내지 못했다. 살인이 있던 날 아침 자신의 집을 나선 뒤 하이드는 연기처럼 사라졌다. 대신 그가 과거에 저지른 범죄들만 사람들의 입에 오르내리며 조금씩 베일을 벗고 정체를 드러냈다. 사람들은 하이드가 저지른 또다른 끔찍한 폭력 사건, 잔인한 행동에 관해 떠벌렸다.

하이드,
바람과 함께
사라지다!
여기서 이야기가
끝나는 건가?

시간이 지나자 바늘처럼 날카로웠던 어터슨의 신

경도 점차 안정을 되찾았다. 하이드가 영영 사라져 준 것만으로도 댄버스 경의 죽음은 헛되지 않았다는 것이 어터슨의 생각이었다.

지킬 박사도 본래의 삶으로 돌아갔다. 다시 친구들과 어울렸고, 자선 사업가로서, 종교인으로서 많은 활동을 했다. 바쁜 일상 중에도 많은 선행善行을 베푼 지킬 박사의 얼굴은 다시 예전처럼 밝게 빛났다. 지킬 박사의 평화로운 시간은 두 달 이상 계속되었다.

끔찍했던 겨울이 가고 봄이 지나, 어느덧 8월이 되었다. 어터슨은 지킬의 집에서 친한 친구들과 어울려 저녁을 먹었다. 래넌도 거기 있었다. 지킬 박사, 어터슨, 래넌. 세 사람은 절친했던 삼총사 시절로 돌아간 것 같았다.

하지만 같은 달 12일과 14일에 지킬 박사의 집 대문은 다시 굳게 닫혀 있었다.

"박사님께서는 집에서 나오려고 하지 않으십니다."

선행(善行) : 착하고 어진 행실.

집사 풀이 말했다 .

"그리고 아무도 안 만나시겠답니다."

15일, 어터슨은 다시 한 번 지킬 박사를 찾아갔다. 또 거절이었다.

'무슨 일이지? 또 무슨 일이 벌어진 건가?'

어터슨은 지킬 박사가 무척 걱정이 됐다. 그렇게 지킬을 못 만난 지 닷새 되던 날, 어터슨은 무슨 소식이라도 들을까 싶어 래년을 찾아갔다. 집사의 안내를 받고 거실에 들어선 순간, 어터슨은 얼음처럼 그 자리에 꽁꽁 얼어붙었다. 래년의 건강했던 얼굴은 창백해졌고 보기 좋았던 몸도 몹시 말라 있었다. 머리카락도 눈에 띄게 많이 빠져, 갑자기 늙어 버린 것 같았다. 하지만 어터슨이 더 놀란 것은 래년의 눈에 깊이 박혀 있는 공포였다. 마치 죽음이 코앞에 닥친 것만 같았다.

건강했던 래년에게
무슨 일이 생긴 거지?
래년은 왜 자신이
죽을 거라고 생각하는 거지?
병에 걸린 것도 아닌데.

"어터슨, 나는 결코 그 충격에서 벗어나지 못할 거야."

지킬은 죽은 거야!
내 앞에서 그 친구 이야기는
꺼내지도 말게.
아, 어터슨
그 동안 고마웠네.

'손사래'는
하지 말라는 뜻으로
손을 내젓는 행동이야.

래넌은 텅 빈 눈동자로, 어터슨의 손을 잡았다.

"난 세상을 떠날 날이 며칠 남지 않았네. 그 동안 즐거웠어. 우리들이 모든 것을 알 수 있다면 이 세상은 더 즐거울 텐데."

래넌이 숨가쁘게 이야기했다. 어터슨은 안타까운 마음에 지킬의 이야기를 꺼냈다.

"래넌, 힘내게. 지킬도 몸져누웠다네."

래넌은 손사래를 치며 말했다.

"아, 내 앞에서 지킬 이야기는 말아 줘."

래넌의 목소리는 산 사람의 것이라고는 느껴지지 않는 텅 빈 목소리였다.

"난 지킬이 죽었다고 생각하네."

"무슨 소린가?"

어터슨은 몹시 초조焦燥해졌다.

초조(焦燥) : 애를 태워 마음을 졸이는 모양.

"내가 도울 일이 없을까? 우리 셋은 절친한 친구 사이 아닌가?"

"난 이제 다 끝났네. 왜 그런지는 지킬에게 물어보게."

래년의 말은 수수께끼 같았다.

"지킬은 날 보려 하지 않는걸."

"그래, 아마 그렇겠지. 내가 죽거든 이 일이 어떻게 된 것인지 알게 될 거야. 지금은 말할 수 없네. 어터슨, 다른 이야기를 한다면 여기 계속 있어도 좋아. 하지만 지킬의 얘기를 할 거면 가게. 난 도저히 들을 수가 없으니."

집에 돌아오자마자 어터슨은 지킬에게 편지를 썼다. 자신을 만나지 않는 이유가 무엇인지, 그리고 래년과는 대체 무슨 일이 있었던 것인지를 물었다. 다음 날 어터슨은 답장을 받았다. 편지로 봐서는 지킬과 래년의 관계는 더 이상 돌이킬 수 없어 보였다.

내 오래된 친구를 탓하지는 않겠네. 그러나 다시는

보지 말자는 래년의 말에는 동감이야. 지금 그 이유를 밝힐 수는 없지만, 앞으로는 철저하게 혼자 지내려고 하네. 그러니 내가 자네를 그냥 돌려보내더라도 우정을 의심하지 말아 주게나. 나는 내가 자초自招한 위험에서 스스로 벌을 받고 있어. 이 가혹한 운명의 무게를 덜어 주기 위해 자네가 도울 수 있는 일이라고는 딱 한 가지네, 어터슨. 그냥 나를 조용히 내버려 두는 거야.

어터슨은 놀랐다. 하이드가 사라진 후 지킬은 예전으로 돌아가 있었다. 여러 가지 면에서 존경받는 노년을 보내리라고 생각했다. 그런데 갑자기 모든 평화가 산산조각 난 것이다. 전혀 생각지 못했던 엄청난 반전이었다. 래년의 말이나 태도를 보더라도 뭔가 엄청난 일이 일어났던 것만은 분명했다.

래년이 침대에 누운 지 1주일쯤 되었을 때, 결국 그가

자초(自招) : 어떤 결과를 자기 스스로 불러들임.

뭐야, 다들 왜 이렇게
복잡한 거야?
좀 심플하게 살면
안 되는 거야, 그런 거야?
어터슨만 볼 것!
꼭꼭꼭!!!

죽었다는 소식을 들었다. 슬픔에 잠긴 채 래년의 장례식에 참석한 다음 날, 어터슨은 사무실의 문을 잠그고 촛불 옆에 앉아, 죽은 친구가 직접 쓴 편지를 꺼내 읽었다.

비공개 : 오직 어터슨만 뜯어 볼 것. 그가 아니라면 절대 뜯지 말고 없애 버릴 것.

편지 봉투에는 이렇게 적혀 있었다. 어터슨은 편지의 내용을 보기가 겁이 났다.

'이 편지를 읽으면 또 한 명의 친구를 잃게 되는 것은 아닐까?'

하지만 어터슨은 친구에 대한 믿음을 저버릴 수 없어서 편지를 뜯었다. 겉봉 안에는 또다른 봉투가 있었다. 그 봉투에는 '지킬 박사가 사라지거나 죽기 전에는 개봉하지 말 것.' 이라고 쓰여 있었다.

어터슨은 자신의 눈을 믿을 수 없었다. '사라지

거나!' 오래 전 지킬에게 돌려준 유언장에 등장했던 그 단어가 다시 나온 것이다. 지킬의 유언장에 있던 사라진다는 말은 하이드의 사악한 협박에서 나온 것이었다. 하지만 래년이 쓴 편지에는 어떻게 다시 등장했단 말인가?

어터슨은 래년의 말을 듣지 않고 편지를 뜯어 이 궁금증을 해결하고 싶었다. 하지만 변호사로서의 명예와 친구에 대한 믿음 때문에 차마 그럴 수는 없었다. 호기심을 억누른 채 그는 봉투를 개인 금고에 깊숙이 집어넣었다.

그 날 이후로 어터슨은 지킬 박사와 조금 거리를 두었다. 여전히 소중한 친구였지만 전처럼 편하지 않은 것은 분명했다. 사실 두렵기도 했다. 이따금 지킬의 집 앞에서 풀에게 지킬에 대한 소식을 전해 듣는 것으로 만족했다. 풀은 지킬 박사가 뭔가 골똘히 궁리窮理하고 있는 것 같다고 했다. 어터슨은 매번 똑같은 풀의 말에 익숙해졌고, 점차 지킬의 집에 찾아가는 것도 뜸해졌다.

궁리(窮理) : 좋은 도리를 발견하려고 이모저모 생각함.

7장

밀실에서 생긴 일

흠, 엔필드는
조금 순진한 구석이 있어.
어떤 근거로 하이드가
완전히 사라졌다고
믿는 거지?

그러던 어느 일요일. 어터슨은 여느 때처럼 엔필드와 산책을 하고 있었다. 그들은 런던 뒷골목을 걷다가 또다시 문제의 그 집 앞에서 발걸음을 멈추었다.

"이제 그 이야기는 다 끝난 셈이군요. 더 이상 하이드를 볼 일이 없을 테니까요."

엔필드의 말에 어터슨이 고개를 끄덕였다.

"그랬으면 좋겠군. 내가 하이드를 한 번 봤다고 말했던가? 그 땐 나도 자네처럼 불쾌한 기분을 느꼈지."

"그를 보고서 불쾌감을 느끼지 않는 게 이상하죠. 이

집이 지킬 박사의 집으로 이어지는 뒷문이란 걸 그 땐 몰랐어요.”

“결국 자네도 알게 되었군.”

어터슨은 갑자기 좋은 생각이라도 난듯 밝은 목소리로 말했다.

“그렇다면 저 골목 끝으로 들어가 창문을 올려다보는 건 어떨까? 그럼 지킬을 볼 수 있을 텐데. 안에는 못 들어가지만 날 보면 지킬도 조금은 힘이 나겠지.”

댄버스 커루 경
사건 이후로 하이드와 관련된
끔찍한 일들이 더는 벌어지지
않으니 그렇게 생각할 수도
있지. 안 그래?

습기로 가득한 골목의 하늘에는 이제 막 저녁 노을이 내리고 있었다. 그 때 불행한 죄수 같은 모습으로 창가에 기대선 지킬이 어터슨의 눈에 들어왔다.

“지킬! 좀 나아진 건가?”

어터슨이 반가운 목소리로 물었다.

“아니, 아직 안 좋네. 하지만 괜찮아질 거야, 고맙네.”

지킬의 목소리는 다정했다.

“지킬, 오랜만에 산책이라도 하지 않겠나?”

어터슨의 말에 지킬 박사는 한숨을 쉬었다.

"고맙지만 사양하겠네. 자네와 엔필드를 집으로 초대하고 싶지만 내 상황이 여의치 않군."

"괜찮아, 이렇게라도 자넬 볼 수 있으니 기쁘군."

"고맙네, 나도 얘기를 하고 싶었어."

지킬은 말을 하는 것조차 힘들어 보였지만, 얼굴에는 미소가 번졌다. 그 때였다. 지킬의 얼굴이 갑자기 굳어지며 서늘한 공포가 스쳐 지나갔다. 그 표정을 본 어터슨과 엔필드의 몸에도 소름이 돋았다. 급히 창문이 닫혔기 때문에 더 이상 지킬의 모습을 볼 수 없었다. 짧은 순간이었지만 어터슨과 엔필드는 지킬의 고통苦痛을 충분히 느낄 수 있었다. 두 사람은 골목을 빠져 나올 때까지 아무 말도 하지 못했다.

"하느님, 부디 자비를."

마침내 어터슨이 입을 열었다. 엔필드도 말없이 고개를

고통(苦痛) : 몸이나 마음의 괴로움과 아픔.

고맙네!
이렇게라도
자네를 볼 수 있으니
기쁘군.
하이~

주억거리고는 급히 걸음을 옮겼다.

그리고 얼마간의 시간이 흘렀다. 식사를 끝낸 어터슨이 벽난로 옆에 앉아 있는데 뜻밖의 손님이 찾아왔다. 풀이었다.

"풀, 자네가 웬일인가?"

어터슨은 불안不安한 마음을 감추며 풀을 맞았다.

"어터슨 선생님, 문제가, 좀 생겼습니다."

풀의 목소리는 떨리고 있었다.

"일단 앉아서 이 포도주를 좀 마시게. 그리고 무슨 일인지 차근차근 얘기를 해 봐."

어터슨은 풀을 자리에 앉히고 포도주를 따라 주었다.

"지킬 박사님이 이상해요. 도무지 서재에서 나오질 않아요. 선생님, 선생님은 잘 아시잖습니까? 박사님이 어떤 분인지!"

"풀, 진정하고 천천히 말해 보게."

불안(不安) : 안심이 되지 않아 마음이 조마조마함.

어터슨이 달래 보았지만 소용 없는 일이었다.

"벌써 일주일짼니다."

풀은 어터슨을 똑바로 쳐다보지도 못하고 말을 이었다. 포도주 잔을 들고는 있었지만 입도 대지 못한 채였다. 풀이 갈라지는 목소리로 이야기했다.

"아무래도 사고가 난 것 같습니다. 하지만 더는 말할 수가 없어요. 죄송하지만 저와 함께 가 주시겠어요?"

어터슨은 말없이 모자와 외투를 집어 들었다. 두 사람은 차가운 바람이 불어 대는 거리를 걸었다. 몹시 추운 겨울 밤이었다. 지나가는 사람이 하나도 없는 거리는 무서울 정도로 황량했다.

'뭔가 불길해.'

어터슨은 기분 나쁜 느낌을 떨쳐 버리고 싶었지만 쉽지 않았다. 그들은 먼지 바람이 휘날리는 광장에 도착했다. 멈춰 선 풀이 모자를 벗어 이마에 맺힌 땀을 닦았다. 서둘

우지끈!
쾅!
무슨 일인가?
지킬 박사님께 무슨 일이 있는지 알아봐 주세요, 어터슨 선생님~

러 걸었기 때문에 맺힌 땀이 아니었다. 공포와 불안으로 흘린 식은땀이었다.

"하느님, 부디 우리를 지켜 주소서."

풀이 손을 모으고 중얼거렸다. 어터슨도 마음 속으로 기도를 올렸다. 풀이 조심스레 문을 두드리자 사슬이 걸린 채로 문이 조금 열렸다. 안쪽에서 소리가 들렸다.

"풀, 자네인가?"

"그래, 문 열어."

집에는 불이 환하게 밝혀져 있었다. 벽난로 주위에 모인 하인들이 겁먹은 양 떼처럼 떨고 있었다.

"아아, 어터슨 선생님, 와 주셨군요!"

요리사로 일하는 한 하녀가 어터슨을 보자 참았던 울음을 터뜨리며 거의 안길 듯이 달려들었다.

"자네들 지금, 모여서 뭘 하고 있는 건가?"

그러나 무뚝뚝한 어터슨은 꾸짖듯 말했다.

"다들 두려움에 떨고 있습니다."

풀의 대답에 대꾸하는 사람이 없었다. 잠시 동안 침묵이 흘렀다. 조용한 가운데 하녀의 울음소리가 다시 들려왔다.

"조용히 좀 해!"

풀이 버럭 소리를 질렀다. 그의 신경도 날카로워져 있었던 것이다. 풀은 크게 심호흡을 하고는 등불을 찾아 들었다.

"가서 문제를 해결해 봅시다."

어터슨이 풀의 뒤를 따라 뒤뜰로 향했다. 풀이 어터슨에게 낮은 목소리로 일러 주었다.

"아무 소리 내지 말고 따라오십시오. 박사님께 오셨다는 사실을 들키면 안 되니까요. 방에는 절대로 들어가지 마시고 그냥 어떤 소리가 나는지만 들어 주세요."

어터슨은 마른침을 꿀꺽 삼키고는 풀이 이끄는 실험실 건물로 따라갔다. 계단 앞에 다다르자 풀은 가만히 들어 보라는 손짓을 보냈다. 풀은 등불을 내려놓고 심호흡을 한 후 밀실 문을 두드렸다.

"박사님, 어터슨 씨가 오셨습니다."

그러자 안에서 목소리가 들렸다.

"나는 아무도 만날 수 없다고 하지 않았나."

"알았습니다, 박사님."

풀은 다시 등불을 들고 어터슨을 데리고 뒤뜰을 지나 부엌으로 되돌아왔다.

"들으셨습니까? 그게 주인님의 목소리던가요?"

풀을 바라보며 어터슨이 고개를 저었다.

"아니야, 많이 다른 것 같았네."

"제가 이 집에서 주인님을 모신 지 벌써 20년입니다. 그런 제가 주인님의 목소리를 모르겠습니까? 분명히 주인님의 목소리가 아닙니다. 8일 전 주인님께서 하느님을 부르면서 울부짖는 걸 들었는데, 아무래도 그 날 살해를 당하신 것 같아요! 선생님, 저 안에 있는 건 누구일까요? 도대체 누가 주인님 대신 저 방에 들어가 소리를 지르며 괴로워하느냔 말입니다."

헉, 그럼
방에 누가 있는 거지?
지킬이 아니라니,
희한해, 희한해!.

어터슨이 말했다.

"침착하게 풀. 자네 추측대로라면 왜 살인범이 그

안에 계속 머물러 있겠나?"

풀은 답답하다는 듯 한숨을 쉬었다.

"이상한 건 그뿐이 아닙니다. 저 안에 있는 이상한 자는 얼마 전부터 원하는 약을 구하지 못해 안달이 났습니다. 그는 주인님처럼 종이에 시킬 것을 적어 계단에 던져 놓았더군요. 전 종이에 적힌 약품을 구하기 위해 지난 주 내내 런던 시내에 있는 약품 도매상 전부를 뒤졌어요. 하지만 약품이 순수純粹하지 않다면서 그걸 반납하고 다른 데서 약을 사 오라는 쪽지를 남겼더군요. 이유는 알 수 없지만 몹시 간절하게 약을 찾는 것만은 분명합니다."

"혹시 그 종이를 가지고 있나?"

풀은 주머니를 뒤져 구겨진 메모지를 꺼내 어터슨에게 주었다. 메모지에는 다음과 같은 내용이 적혀 있었다.

XX 상회 귀하. 지킬 박사로부터.

순수(純粹) : 다른 것이 조금도 섞이지 않음.

수고가 많으십니다. 지난번 구입한 약품은 불순물不純物이 섞여 있어서 제가 하고 있는 실험에는 쓸 수가 없습니다. 18XX년 저는 귀하로부터 다량의 약품을 구입한 적이 있는데, 그 때와 똑같은 약품을 찾는 대로 집사, 풀을 통해 보내 주시기 바랍니다. 값은 얼마라도 내겠습니다. 이 약품은 저에게 정말로 중요합니다.

여기까지는 차분한 글씨체로 쓰여 있었지만 다음 대목에서 갑자기 펜을 휘갈긴 흔적이 보였다. 감정을 주체할 수 없었던 것 같았다.

'제발, 꼭 그 제품이어야 합니다.'

어터슨은 쪽지를 보고 확신에 차서 말했다.

"이건 분명 지킬 박사의 글씨야."

"글씨가 문제가 아닙니다. 전 그자를 봤습니다."

풀의 말에 깜짝 놀란 어터슨이 외쳤다.

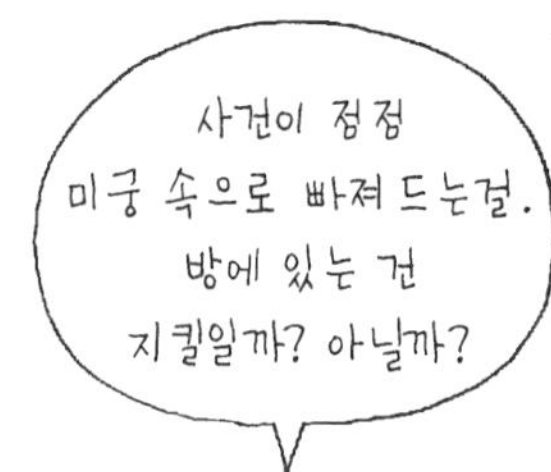

불순물(不純物) : 순수하지 못한 물질.

"뭐? 그자를 봤다고?"

"예. 그 날 제가 정원에서 일을 하다가 갑작스럽게 여기로 들어왔습니다. 그 때 그자와 마주쳤어요. 아무래도 약품을 찾으러 슬그머니 밖에 나온 모양이었어요. 약품 상자를 뒤지고 있었거든요. 나를 보고는 괴성을 지르더니 바람처럼 계단을 올라가 밀실로 사라졌지요. 잠시였지만 몹시 두려웠습니다. 만약 그자가 지킬 박사님이었다면 왜 얼굴에 마스크를 하고 있었겠습니까?"

어터슨은 고개를 갸웃거렸다.

"풀, 혹시 이런 건 아닐까? 자네의 주인이 지금 몹쓸 병에 걸려서 필사적으로 약을 구해야만 하는 상황인 건. 목소리가 변한 것도, 마스크를 쓴 것도 다 그 때문이겠지. 끔찍하긴 하지만 이야기의 앞뒤는 맞아떨어지지 않나?"

마스크를 한 지킬이라!
감기에 걸린 게 아닐까?
콜록콜록.

"아, 아니에요."

풀은 절망적으로 외쳤다.

"주인님은 키가 크고 체격이 좋으신데, 그자는 난쟁이

헉, 하이드?

같이 작았어요."

"정 그렇다면 내가 직접 확인해 보는 수밖에 없겠군. 그러고 싶지는 않았는데 말이지."

어터슨은 손가락을 만지작거렸다. 풀은 마치 기다렸다는 듯이 대답했다.

"도끼로 문을 부수고 들어가시죠. 선생님은 몽둥이라도 하나 잡으세요."

"좋아, 풀. 그 전에 한 가지를 확실히 해 두자고. 자네는 그 마스크를 한 사내가 누구인지 알아보겠던가?"

"글쎄요, 너무 순식간이라서 알아보기 힘들었습니다. 하지만 하이드를 물어 보시는 거라면, 맞습니다. 그자였던 것 같아요. 거의 몸집이 비슷했어요. 그자가 아니면 누가 실험실에 들락거릴 수 있겠습니까? 혹시 선생님은 그자를 만난 적이 있으십니까?"

"한 번 이야기를 나누어 본 적이 있었지."

"그렇다면 그자에게서 어떤 느낌을 받으셨겠군요. 설명하기 곤란한 불쾌하고 두려운 느낌 말입니다."

밀실은 아무나
드나들지 못하는 비밀의 방이야.
지킬의 밀실에서는 도대체
무슨 일이 일어나고
있는 걸까?

"그래, 무슨 느낌인지 알 것 같네."

어터슨이 말했다.

"그 마스크를 쓴 자를 본 순간 제가 그 느낌을 받았습니다. 맹세코 그자는 하이드였습니다."

풀이 말하자 어터슨도 이해하는 표정이었다.

"자네 말이 맞네. 그래, 이유를 댈 수 없지만 나도 헨리 지킬을 죽인 자가 저 밀실에 숨어 있다고 생각하네. 자, 이제 헨리의 복수復讎를 해야겠네. 브래드쇼를 부르게."

마부 브래드쇼가 불려 왔다. 그 역시 창백한 얼굴로 잔뜩 긴장하고 있었다.

"브래드쇼, 풀과 내가 밀실로 들어가겠네. 자네는 범인이 뒷문으로 도망치지 못하도록 뒤쪽에서 지키게. 십 분 동안 각자 위치를 잡게나."

복수(復讎) : 원수를 갚음. 앙갚음.

브래드쇼의 뒷모습이 보이지 않게 되자 어터슨은 풀을 따라 밀실로 향했다. 밀실 안에서 누군가 서성거리는 발소리가 복도를 타고 흘러나왔다.

"저자는 하루 종일 저렇게 왔다 갔다 합니다. 하지만 발소리조차 달라요."

무겁고 진중鎭重한 지킬 박사의 발소리와는 다른 가볍고 빠른 발소리였다.

"확실히 다르군. 다른 소리는 듣지 못했나?"

어터슨이 묻자 풀이 대답했다.

"우는 소리를 들은 적이 있습니다. 마치 저주받은 영혼이 우는 듯한 소리였지요."

그 말을 듣자 어터슨은 머리털이 곤두서는 듯한 느낌을 받았다.

시간은 이제 10분이 다 되어 가고 있었다. 풀은 도끼를 꺼내 들었고 조금씩 조금씩 밀실을 향해 다가갔다. 이리

진중(鎭重) : 점잖고 무게가 있음.

저리 서성대는 가벼운 발소리가 고요한 중에 울리고 있었다. 어터슨과 풀은 실험실 문 앞에 바짝 다가갔다.

"지킬! 내가 왔네. 나는 지금 자네를 만나야겠어. 문을 부수고라도 들어갈 거야."

어터슨이 외쳤다.

"안 돼, 어터슨. 그러면 안 돼."

안에서 들리는 목소리는 확실히 지킬의 목소리가 아니었다.

"지금이야, 풀! 문을 부수게."

어터슨의 명령命令이 떨어지자 풀이 도끼를 어깨 위로 쳐들고 세게 내리쳤다. 굳게 닫힌 문은 꼼짝도 않았지만 안에서는 짐승이 울부짖는 소리가 들렸다. 다시 한 번 도끼를 힘껏 내려치자, 문이 조금 깨졌다. 다섯 번째로 내리쳤을 때 비로소 자물쇠가 부서지며 문이 무너져 내렸다.

한바탕 문이 부서지는 소리가 들린 뒤, 또다시 고요가

명령(命令) : 윗사람이 아랫사람에게 무엇을 하도록 시킴.

하이드는 스스로
목숨을 끊었네.
이제 지킬을 찾아야겠어.
에그머니나~

맴돌았다. 어터슨은 이 소름끼치는 고요가 참을 수 없었다. 어터슨과 풀은 등불을 들고 실험실 안을 엿보았다.

장작불이 벽난로 위에서 타닥타닥 타고 있었고, 물 주전자는 소리를 내며 끓고 있었다. 서랍이 한두 개 열려 있었고, 서류 뭉치가 책상 위에 정돈되어 있었다. 벽난로 주변에는 차를 마시는 데 필요한 도구들이 보였다. 약품들이 가득한 약장만 없었다면, 런던 어느 곳에서나 흔히 만날 수 있는 평범한 방이었다.

방 한가운데에는 한 남자가 뒤틀린 몸으로 누워 있었다. 하이드였다. 하이드가 입은 지킬 박사의 옷은 몸에 맞지 않아 무척 큰 것이었다. 얼굴의 근육은 꿈틀대며 움직이고 있었지만 그는 이미 이 세상 사람이 아니었다. 그의 손에 들린 깨진 약병과 방 안을 가득 채우는 화학 약품의 독한 냄새를 통해 어터슨은 그가 자살했다는 것을 알 수 있었다.

도대체 하이드와
지킬 박사 사이에
어떤 일이 있었던 걸까?
정말 하이드가 지킬을 죽이고
자신이 지킬의 행세를
하고 있었던 거야?

"하이드는 스스로 목숨을 끊었네. 이제 지킬의

시체를 찾아야겠어."

어터슨과 풀은 모든 장소를 샅샅이 살펴봤다. 하지만 아무리 찾아보아도 지킬은 없었다. 그가 살았는지 죽었는지조차 알 수 없었다

"지하실 복도에 묻혔을 수도 있어요."

풀이 말했다.

"아니면 도망쳤을 수도 있지."

좁은 길로 향하는 문은 잠겨 있었다. 열쇠를 찾았지만 오랫동안 쓰지 않아 부숴진 조각들로 녹슬어 있었다.

"이건 사용할 수가 없겠는데요?"

풀이 말했다.

"밀실로 일단 돌아가 보세."

어터슨이 향했다.

그들은 말없이 밀실을 살펴보았다. 실험대 위에는 하얀 가루가 여기저기 흩어져 있었다. 하얀 가루를 이용하여 실험을 하려고 했던 것 같았다. 풀이 말했다.

"바로 이거예요. 제가 구해 드렸던 약품이지요."

그들은 벽난로 쪽으로 다가갔다. 안락 의자와 차 마시는 도구들이 가까운 곳에 놓여 있었다.

선반에는 책들이 몇 권 있었는데, 그 중 한 권은 찻잔 옆에 있었다. 그 책은 지킬이 여러 번 칭찬하던 종교 서적이었다. 그것을 본 어터슨은 깜짝 놀랐다. 책에는 빽빽한 글씨로 신을 욕하는 글이 가득 차 있었다.

그들은 사무용 책상으로 향했다. 책상 위에는 서류들이 잘 정돈되어 있었고, 맨 위에는 큰 봉투가 놓여 있었다. 봉투에는 어터슨의 이름이 쓰여 있었다. 어터슨은 봉투를 뜯었다. 안에 들어 있던 내용물이 마룻바닥에 떨어졌다. 첫 번째로 살펴본 것은 유언장이었다. 6개월 전에 어터슨이 돌려보낸 것과 같은 이상한 표현들이 쓰여 있는 것으로, 자신이 죽거나 사라졌을 경우 자신의 재산을 물려준다는 내용이었다. 다만 하이드라는 이름이 있던 자리에 놀랍게도 어터슨의 이름이 적혀 있었다. 그는 풀과 서류를 번갈아 보았다. 그러다 어터슨의 눈길은 결국 양탄자 위에 쓰러진 하이드에게 머물렀다.

"정말 이상해. 하이드가 문서를 봤다면 말이야, 자신의 이름이 내 이름으로 바뀐 걸 보고 화가 났을 텐데 찢어 버리지 않았다니 정말 이상하지?"

그는 다음 서류를 집어 들었다. 짧은 메모였는데 지킬의 글씨체였다. 어터슨은 메모에 기록된 날짜를 보았다.

"풀! 이것 좀 봐!"

어터슨의 목소리에 기쁨이 가득했다.

"지킬은 오늘 여기 살아 있었어. 이걸 보게. 아마 지금도 살아서 어디론가 도망치고 있을 거야. 하이드가 죽었다는 발표는 신중해야겠군. 지킬에게 위험할 수도 있으니까."

지킬이 살아 있다고?
그렇다면 지킬은
어디로 사라졌다는 거야?
이거 정말 미스터리한데.

"선생님, 궁금합니다. 무슨 내용인지 읽어 주십시오."

풀이 부탁했다.

"내 예감豫感이 맞을까 봐 두렵군."

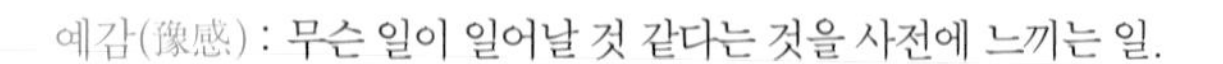

예감(豫感) : 무슨 일이 일어날 것 같다는 것을 사전에 느끼는 일.

어터슨은 침울한 목소리로 편지를 읽기 시작했다.

친애하는 어터슨,

이 메모가 자네의 손에 들어가는 날에 나에게 무슨 일이 생길지 알 수는 없지만, 상황으로 미루어 보아 나의 마지막이 그리 멀지 않았다는 것을 알 수 있네. 그렇다면 래년이 자네에게 맡겼다고 한 편지를 먼저 꺼내 읽어 보게나. 그리고 더 알고 싶다면 여기 내 고백의 편지를 보면 되네.

— 자네의 불행하고 부족한 친구, 헨리 지킬.

"풀, 편지가 더 있나?"

어터슨이 물었다.

"예, 여기 있습니다."

풀이 건네주는 두꺼운 봉투를 받으며 어터슨이 말했다.

"이 서류에 대해서는 비밀을 지켜 주게. 자네 주인이 어떻게 되었건 적어도 그의 명예는 지켜 줘야 하니까. 지금 10시니까. 집에 가서 이 서류들을 천천히 읽어 보고 밤 12시까지는 돌아오겠네. 경찰에 신고하는 것은 그 다음으로 하지."

지킬의 집에서 나온 어터슨은 사무실로 향했다. 수수께끼를 해결해 줄 두 통의 편지를 읽기 위해서.

8장

래년의 이야기

지금으로부터 나흘 전인 1월 9일이었지. 저녁때 내 친구 지킬이 보낸 편지를 받았어. 난 깜짝 놀랐네. 우린 어제 저녁까지만 해도 함께 식사를 했거든. 그런 우리 사이에 편지를 사용해서 말할 내용이 무엇이었을까? 나를 당황하게 한 편지 내용은 다음과 같았지.

여기서부터는
래년이 어터슨에게 보낸
편지 내용이야.
그러니 말하는 사람은
래년 박사지. 그러니까 8장에서
'나'는 래년 박사인 거야.
헷갈리지 말자!

18XX년 12월 10일

친애하는 래년,

자네는 내 오랜 친구네. 자네가 만약 내게 '지킬,

지킬 박사가
래년에게 보낸 편지군.
내용으로 봐서
지킬에게 아주 끔찍한 일이
생긴 모양인데.

내 생명과 명예, 정신이 모두 자네에게 달려 있네.' 라고 말을 한다면 나는 자네를 돕기 위해 내 손이라도 잘랐을 거야. 래년, 내 생명과 명예, 정신이 자네에게 달려 있네. 자네가 날 도와주지 않으면 나는 끝장나고 말 거야.

아무리 중요한 약속이 있더라도 나를 위해 미루어 주기를 바라네. 그리고 지금 당장 마차를 타고 내 집으로 신속하게 가 주게. 내 집사 풀에게는 이미 일러 두었으니 자네가 도착할 때쯤엔 열쇠공과 함께 기다리고 있을 거네. 그럼 자네 혼자 내 밀실 문을 열고 들어가야 해. 왼쪽에 E라고 적힌 화학 약품장에서 서랍의 내용물을 좀 가져와 주게. 내가 잘못 기억하고 있다 하더라도, 내용물을 보면 어떤 서랍이 맞는 건지 알 수 있을 걸세. 유리병과 가루, 그리고 공책이 있지. 그것을 자네 집으로 가져가 주기를 간절히 부탁하네.

만약 자네가 이 편지를 받고 즉시 출발한다면 밤 12시가 되기 전에 집에 돌아올 수 있을 걸세. 그리고 자네 집 하인들이 다 잠자리에 든 다음 자정에 자네 혼자 상담실에 있어 주면 좋겠네. 한 사람이 내 이름을 대고 그리로 찾아갈 것이니 그에게 밀실에서 가져온 것을 주면 되는 거야.

다소 황당하게 들리겠지만, 만약 뭔가가 잘못된다면 나는 죽거나 미치게 될 거야. 그리고 자네가 평생 양심의 가책을 받게 될지도 모르겠네.

자네가 내 부탁을 소홀疎忽히 여기지는 않으리라 확신하지만 불안한 마음에 온몸이 떨리네. 제발 내 부탁을 들어주게. 래년, 날 구해 주게.

—자네의 친구, H. J

난 이 편지를 읽으면서 내 친구가 정신이 나갔다고 생각했어. 하지만 그의 부탁을 거절할 순 없었다네. 간절한

소홀(疎忽) : 하찮게 여겨 관심을 두지 않음.

부탁을 내 멋대로 무시하면 안 되니까. 난 편지에서 말한 대로 바로 마차를 잡아타고 지킬의 집으로 갔지. 역시나 풀이 날 기다리고 있더군. 그도 나처럼 편지로 부탁을 받고 수리공과 목수를 부르러 사람을 보냈지. 그들은 우리가 이야기를 하는 동안 도착했어. 우리들은 지킬의 밀실로 갔지. 문은 단단했고 자물쇠도 튼튼했어. 목수와 열쇠공이 두 시간 정도 고생하더니 문을 열더군. 나는 E라고 쓰인 약장의 문을 열고 서랍을 꺼냈다네. 서랍을 천으로 싸서 집으로 돌아왔지.

집에 돌아온 나는 서랍 안의 내용물을 확인했어. 가루약과 약병, 그리고 공책. 가루약은 꽤 솜씨 좋게 포장되어 있었네. 약병 속에는 핏빛 용액溶液이 들어 있었는데 아주 냄새가 지독했어. 공책에는 실험한 내용이 날짜 순서대로 적혀 있었지. 지난 몇 년간 계속되던 실험은 1년 전에 갑자기 중단되었더군. 공책의 빈 자리엔 아주 짧은 문장의

용액(溶液) : 어떤 물질이 다른 물질에 녹아서 혼합된 액체.

가져왔냐니까요?

"두 배로"
"완전 실패!"라는 말이
마음에 걸리는군.
무슨 실험이기에,
이렇게 열심이었을까?

메모만 있을 뿐이었어. 수백 번의 기록 중에서 "두 배로"라는 말이 여러 번 나왔고, 공책의 앞부분에 "완전 실패!"라고 쓰인 것도 보였어. 무슨 내용인지 궁금하기 짝이 없었지만 그 정도만 가지고 뭔가를 알아 낼 방법은 없었지.

어쨌든 난 하인들을 먼저 재우고 혹시나 싶어 권총에 총알을 미리 넣어 두었지.

열두 시가 되자 키가 작은 한 사내가 날 찾아오더군. 지킬이 보낸 심부름꾼이었어. 사내와 상담실에 들어갔을 때 이미 내 손은 권총을 움켜쥐고 있었어. 불빛 아래서 처음으로 그 사내를 자세히 볼 수 있었지. 그는 키가 작았고, 얼굴은 기괴奇怪했지. 근육질이면서도 쇠약해 보였고. 특별한 이유 없이 그의 곁에 있으면 기분이 불쾌해지더군. 몸에 맞지 않게 헐렁하고 큰 옷을 입고 있는 이상한 사내였어. 그에게서는 묘하고 비정상적인 분위기가

기괴(奇怪): 괴상하고 기이함. 이상야릇함.

풍겨 나왔지.

"가져오셨습니까? 가져오셨냐고요?"

내가 대답을 않자 그는 초조한 듯 내 팔까지 붙잡고 흔들면서 말했어. 그의 손은 차가웠어. 손이 닿은 곳은 모조리 얼어 버릴 것처럼. 나는 그를 밀쳐 내고 말았지.

그걸 알았다면
래년도 조금은
덜 불안했을 거야.
하지만, 정말 용감하군!

"이봐요. 나를 언제 봤다고 이러십니까! 일단 앉으란 말이오."

나도 그의 앞에 자리를 잡고 앉았지. 평소처럼 행동하려고 했지만 쉽지가 않았어. 나는 두려움에 떨고 있었어.

"죄송합니다. 저는 지킬 박사에게서 몇 가지 일을 하라는 분부吩咐를 받고 왔습니다. 얘기를 들으니……."

그가 잠깐 말을 멈추고는 목에 손을 갖다 댔어. 발작 증세를 힘겹게 참고 있다는 것을 알 수 있었지.

"얘기를 듣자 하니 서랍이……."

분부(吩咐) : 윗사람의 당부나 명령을 높여 이르는 말.

보다 못한 내가 중간에 말을 가로챘지.

"저기 있습니다."

서랍은 아직 천에 쌓인 채로 식탁에 놓여 있었네.

그는 서랍 쪽으로 가더니 갑자기 멈춰 섰어. 그러고는 심장으로 손을 갖다 대더군. 턱에 경련이 오는 것이 보였어. 그의 얼굴은 창백해져만 갔어.

"괜찮으세요?"

내가 묻자 그는 내게 기분 나쁜 웃음을 보이며 서랍을 싸고 있는 천을 휙 젖혔어. 안의 내용물을 보더니 안도의 한숨 같은 울음소리를 냈지. 나는 아무것도 모르는 채 그것을 지켜봐야 했어. 그는 한참을 울고 난 후 좀 진정이 된 목소리로 "눈금 실린더가 있습니까?"라고 묻더군. 눈금 실린더를 찾아 주자 그는 핏빛 용액과 가루약을 섞었어. 곧 부글부글 소리와 함께 거품이 올라오며 약물의 색상이 시시각각으로 변하더군. 이 변화를 유심히 바라보던 그가 미소를 짓고는 약병을 책상에 놓고 나를 뚫어지게 바라보았어.

눈금 실린더는
메스 실린더라고도 하는데,
액체의 부피를 재는
실험 기구야.

"자, 이제 딱 한 가지가 남았습니다."

그가 말했어.

"안전한 길을 택하시겠습니까, 모험의 길을 택하시겠습니까? 선생님의 결정에 따라 천사의 세계와 사탄의 세계를 맛볼 수 있습니다."

난 침착하려고 노력했어.

"자네의 수수께끼 같은 말을 알아들을 수가 없지만, 이미 이 일에 깊이 빠져들었으니, 좋소. 갈 데까지 가 봐야겠어."

"그렇군. 잘 보게 래넌, 당신이 부정否定했던 초자연적 효과야."

그는 약병을 입에 대고는 용액을 단숨에 마셔 버렸어. 그러고는 한참을 괴로워했어. 바닥에서 헐떡거리면서 눈을 부릅뜨고 나를 쳐다봤지. 그 때 그에게서 이상한 변화가 생기는 것 같았어.

여기서 잠깐,
초자연적 효과를
알고 넘어가자!
초자연적 효과란 자연적으로나
상식으로는 설명되지 않는
현상을 말하지.

부정(否定) : 그렇지 않다고 함.

그의 얼굴이 녹아 내리며 모습이 바뀌어 갔네. 난 너무나 두려워 벽 쪽으로 물러섰어. 소리를 지르며 눈을 가렸지. 내 마음은 완전한 공포에 휩싸였어.

"세상에!"

나는 그 말밖에 할 수 없었어. 내가 무슨 말을 더 할 수 있겠는가. 내 눈앞에는 이제 막 죽음의 세계에서 돌아온 것 같은 모습의 헨리 지킬이 서 있었어. 아직 정신이 다 돌아오지 않은 듯 부들부들 떨고 있는 헨리는 손으로 앞을 더듬고 있더군.

그가 내게 말한 모든 것을, 나는 누구에게도 말할 수 없네. 그래, 내가 겪은 일이지만 나 스스로도 이 사실을 믿을 수가 없어. 그 후로 날마다 심한 공포가 나를 덮쳐 왔어. 난 알 수 있었지. 결국 내가 죽고 말 거라는 것을. 왜 그런 일이 나에게 일어났는지 그 이유도 모르는 채 나는 죽어 가고 말 거야. 그자가 내게 고백한 죄악은 여전히 섬뜩한 공포를 느끼게 해. 아, 기억하는

아, 이런 일이 정말 가능해?
보고도 못 믿겠어? 약을 먹고 하이드가 지킬로 변신했잖아. 정확하게 말하면 하이드로 변신한 지킬이 다시 되돌아왔다고 해야겠지.

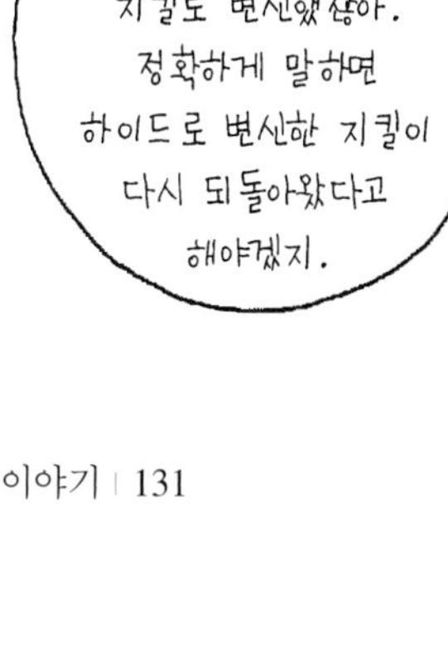

것조차 정말 힘이 든다네. 하지만 어터슨 자네가 내 말을 믿는다면 딱 한 가지 얘기로도 충분할 것 같군. 지킬의 고백대로라면 그 밤 내 집에 찾아온 손님은, 커루를 살해한 수배자 하이드였다네.

9장
지킬의 고백

앞은 래년 박사의 편지였고
여기서부터는 지킬의 편지야.
그러니까 여기서부터 '나'는
헨리 지킬이야.

18XX년 나, 헨리 지킬은 부유한 집안에서 태어나 무엇 하나 부족함 없이 자랐다. 더구나 총명하고 부지런한 데다 지혜롭고 착하기까지 해서 주위 사람들로부터 끊임없이 칭찬을 들었다. 누구도 내가 훌륭하게 성장하여 큰 인물이 되리라는 것을 의심하지 않았다.

그러나 나에게는 문제가 있었다. 유혹에 쉽게 빠지고 욕망을 주체할 수 없다는 점이었다. 물론 그것을 드러내는 것이 나의 상황과 맞지 않다는 것을 깨달은 뒤로는 그 욕망들을 교묘하게 숨기고 살았다.

동양에는
성선설과 성악설이라는 게 있어.
성선설은 태어날 때는 착한데
성장하면서 악해진다는 거고,
성악설은 태어날 때는 악한데
교육으로 착해진다는 거지.

그런 이유로 사회에서 어느 정도 성공했을 때는 이미 심각한 이중생활을 하고 있었다. 어떤 사람들은 나와 같은 이중생활을 조금도 부끄럽게 생각하지 않겠지만, 나는 달랐다. 완벽함을 추구追求하는 나로서는 나 자신의 그런 모습이 몹시 수치스러웠다. 그 때문에 점차 내 안에 선과 악을 철저히 분리시켰다. 절제와 도덕성을 버리고 부끄러운 짓에 몰두할 때는 그 순간에 최선을 다했고, 사람들에게 선행을 베풀며 학문을 연구할 때는 그 일에 최선을 다했다.

사실 모든 사람들의 마음 속에 선과 악이 함께 다투며 살고 있다. 그 때문에 인간은 몹시 괴로운 것이다. 만약 선한 마음과 악한 마음을 분리할 수 있다면 어떤 경우에도 고통은 줄어들 것이다. 그렇다면 어떻게 그 둘을 분리시킬 수 있을까?

추구(追求) : 목적한 바를 이루고자 끝까지 좇아 구함.

지킬은 선과 악을
한덩어리라고 생각했군.
그걸 소금물에서 소금 추출하듯
악은 하이드로
선은 지킬로 분리시키다니!
너무 위험한 생각이었어. 지킬!

나는 곧 이 수수께끼의 해답을 찾아 냈다. 내가 실험하던 특정 약품에서 육체와 정신을 분리시키는 성질을 발견한 것이다. 여러 번의 실험으로 나는 내 영혼을 선과 악으로 분리하는 데 성공했다. 더구나 선이 완전히 사라진 악인이 될 때는 헨리 지킬이 아닌, 완전히 다른 몸으로 변하게 되었다. 실험에 필요한 용액은 이미 오래 전에 만들었고, 용액에 마지막으로 집어넣을 물질을 대량大量으로 구입하는 일도 끝이 났다.

어느 저주받은 날 밤, 나는 그 약품들을 용액에 녹여 물약을 만들었다. 그리고 깊게 숨을 가다듬으며 단숨에 그 약을 마셨다.

엄청난 고통이 밀려왔다. 뼈가 갈리고 살이 찢기는 듯한 통증이었다. 게다가 육체적 고통과 함께 정신적인 공

대량(大量) : 많은 분량.

포가 나를 얽매기 시작했다. 시간이 지나자 고통은 사그라졌고 그 경험은 나에게 뭐라고 설명할 수 없는 쾌락을 주었다. 날 막을 수 있는 것은 아무것도 없었다. 도덕이니 윤리니 하는 번거로운 것들도 어느 순간 사라지고, 사악한 영혼의 자유만이 내 안에 가득했다. 기분이 좋아졌고 힘이 났다. 무엇보다 내가 젊어졌다는 사실이 기뻐 두 팔을 쫙 벌렸다. 내 키가 작아졌다는 것은 그제야 깨달았다. 그 날 밤, 기쁨에 가득 찬 나는 거울을 통해 처음으로 에드워드 하이드의 모습을 볼 수 있었다. 오직 100퍼센트 순수한 악의 존재 하이드. 내가 창조한 나의 모습이 반갑고 자랑스러웠다.

100% 순수한 악!
100% 순수한 선!
그게 가능할까?
어쨌든 더 들어 봐야겠어.

두 번째 실험은 다시 원래의 지킬로 돌아가는 것이었다. 밀실로 돌아가 약을 다시 한 번 들이켰다. 성공이었다. 고통의 순간이 지나자 나는 원래의 헨리 지킬로 돌아와 있었다. 나도 모르게 웃음이 나왔다.

나는 이중생활이 들통나지 않도록 새로운 집을

사고 말없는 가정부도 구해 놓았다. 내 집의 하인들에게는 하이드가 시키는 대로 하라고 일러 뒀다. 그 다음엔 어터슨이 그렇게 반대하던 유언장을 작성했다.

나는 나의 쾌락을 위해 수많은 범죄를 저질렀다. 지킬일 때는 사람들의 존경을 한 몸에 받고 하이드가 되어서는 온갖 자유를 만끽했다. 이런 생활이 반복되다 보니 아무리 큰 죄를 지어도 양심의 가책을 느끼지 않게 되었다.

댄버스 경을 살해하기 얼마 전에도 그랬다. 하이드가 되어 밤늦게까지 돌아다닌 나는 지킬로 돌아가 침대에 누웠다. 다음 날 아침 눈을 떴을 때 뭔가 이상한 느낌에 사로잡혔다. 천천히 주위를 둘러보아도 그런 느낌은 없어지지 않았다. 내가 어제 잠든 곳이 아닌 듯한 느낌이었다.

부작용 아냐?
죄를 지으면 지을수록
죄책감을 느끼지 않았다니.
지킬 박사도 순수한
선은 아니었던 거 아냐?

어느 순간 들여다본 내 손은 울퉁불퉁하고 지저분했다. 하이드의 손이었다. 어제 잠자리에 들 때는 분명 헨리 지킬의 모습이었는데 아침에는 에드워드 하이드의 모습으로 변한 것이다.

다행히 하인들은 하이드가 드나드는 것에 익숙해져 있기 때문에 나는 유유히 그 집을 빠져 나갈 수 있었다. 10분 후, 지킬 박사의 모습으로 돌아온 나는 눈썹을 잔뜩 찌푸리고 앉아 식사를 할 수 있었지만, 도무지 입맛이 나지 않았다.

아, 그랬구나. 불쌍한 지킬,
자신이 하이드를 버렸다고 생각했지만
이미, 하이드의 손아귀에 있었던 거야.
끔찍한 살인까지 저지르다니!

하이드와 지킬의 균형均衡이 서서히 깨지기 시작한 것이다. 약의 효과도 매번 다르게 나타났다. 한 번 실패할 때마다 마시는 양을 두 배로, 세 배로 늘려야 했다.

이렇게 되니 지킬과 하이드 둘 중에서 하나를 선택할 수밖에 없었다. 결국 나는 하이드에게 작별을 고했다.

두 달 동안 나는 성실하게 지킬로 살았다. 그러던 어느 날, 나도 모르는 사이에 또다시 변신의 약을 만들어

균형(均衡) : 치우침이 없이 고름.

마셔 버렸고 두 달 동안 갇혀 있던 하이드는 더욱 폭발적인 힘으로 분노를 내뿜었다. 마치 성난 아이가 장난감을 부수듯 하이드는 댄버스 경을 내려치고 있었다. 흥분이 사그라질 때쯤 나는 깨달았다. 이제 죽음이라는 벌이 나를 기다리고 있으리라는 것을. 범죄 현장에서 도망친 나는 집으로 달려가 만일에 대비해 모든 서류들을 불태워 버렸다.

지킬이 된 나는 다시는 하이드로 변신變身하지 못하도록 밀실의 문을 잠그고 열쇠까지 구두 뒤축으로 밟아 버렸다. 이제 과거를 뉘우치고 착하게 사는 일만 남았다.

1월의 어느 화창한 날이었다. 나는 공원에 앉아서 햇빛을 즐기고 있었지만 어느덧 내 안의 악마는 또다른 쾌락을 원했다. 갑자기 심한 구역질이 나더니 정신을 잃었다. 정신을 차려 보니 하이드로 변해 있었다. 약물의 힘을 빌리지 않고 일어

이제는 약을 먹지 않아도
지킬이 하이드로 변신하다니!
더구나 살인자인 하이드로!
몹시 끔찍했겠군.

변신(變身) : 몸의 모양이나 태도 따위를 바꿈.

나의 기록은 여기까지다.
어터슨, 내 소중한 친구 어터슨,
그의 앞으로 모든 걸 남기겠어.

난 변신이었다. 조금 전까지만 해도 나는 모든 사람들의 존경을 받는 신사였는데 순식간에 살인자가 된 것이다.

나는 이 사태를 해결하기 위해 정신을 집중했다. 그 때 떠오른 것이 래년이었다. 그래서 나는 그에게 편지를 썼다. 12시가 되어 래년을 만났고 그가 보는 앞에서 약을 마셨다. 다시 지킬로 돌아왔을 때 내 오랜 친구가 공포에 떠는 모습을 보고 나 역시 무척이나 놀랐고, 죽음의 위협을 느꼈다.

내가 정말로 두려워한 것은 경찰에 붙잡혀 사형을 당하는 것이 아니라 나도 모르는 사이에 하이드가 돼 버리는 것이었다.

이제 약은 아무 소용이 없었다. 밤낮을 가리지 않고, 잠시라도 긴장을 늦추는 순간엔 순식간에 하이드가 되어서 깨어났다. 하이드의 삶에 대한 집착執着은 놀라울 정도였다.

하이드는
지킬 박사의 '악'한 면이 아니라
또다른 인격체였던 거지.
그의 집이 따로 있고
하인을 따로 두었던 것처럼
온전한 몸을 가지고 싶었던 게
아닐까?

집착(執着) : 어떤 것에 마음이 늘 쏠려 떨치지 못하고 매달리는 일.

하이드로서 쾌락을
느끼는 동안엔 행복했겠지만
마지막 순간에 지킬 박사는
자기 삶을 후회했겠지.

가지고 있던 약품도 서서히 바닥나기 시작했다. 첫 실험을 할 때부터 지금까지 같은 약품을 써 왔는데 이제 다 떨어진 것이다. 나는 약품을 더 구입해 오도록 시켰지만 새로 사 온 첨가제는 아무런 약효藥效가 없었다.

1주일이 지났다. 난 지금 마지막 약의 도움으로 이 글을 쓰고 있다. 헨리 지킬로서 생각하는 것은 이번이 마지막이다. 이제는 기록을 멈춰야 할 시간이다. 이 기록을 남기는 중에 하이드로 변한다면 그는 이것을 갈기갈기 찢어 버릴지도 모르는 일이다.

나는 이제 더 이상 피할 곳이 없는 막다른 골목에 서 있다. 지금부터 30분 후면 추악한 하이드의 모습으로 변하여 영원히 살아야 할 것이다. 나는 이 방에 갇혀 울먹이고 서성대며 누가 나를 잡으러 오는 순간을 초조하게 기다릴 것이다. 하이드는 형장의 이슬로 사라질 것인

약효(藥效) : 약의 효험.

가? 아니면 마지막 순간에 자살을 택할 것인가?

이제는 상관 없다. 지금의 나, 헨리 지킬은 이 순간 영원히 죽는 것이다. 이제 펜을 내려놓고 내 고백을 마치겠다. 불행한 헨리 지킬의 삶이여, 안녕.

PART 3

깊어지는 논쟁

깊어지는 논술

작품 소개

지킬 박사와 하이드 (Dr. Jekyll and Mr. Hyde)

작가 로버트 루이스 스티븐슨이 19세기 말에 영국에서 발표한 작품이에요. 원제목은 〈지킬 박사와 하이드 씨에 관한 기묘한 사건(The Strange Case of Dr. Jekyll and Mr. Hyde)〉이랍니다. 지킬 박사가 약에 의해 포악한 하이드로 변한다는 흥미진진한 줄거리로 많은 사람들에게 사랑을 받아 온 작품이지요. 작품 속에 펼쳐지는 내용 때문에 환상 소설로 보는 사람도 있고 현실 사회를 풍자한 우화로 보는 사람도 있어요.

오늘날 〈지킬 박사와 하이드〉는 철학적으로 생각할 수 있는 풍부한 주제들을 가진 고전으로 평가받고 있어요.

영국의 밤거리에서 하이드를 본 적이 있나요?

작가 소개

R.L. 스티븐슨 (Robert Louis Stevenson, 1850~1894)

작가는 1850년, 스코틀랜드 에든버러에서 태어났어요. 어릴 때부터 책을 읽고 글 쓰기를 좋아했지만 집안의 뜻에 따라 변호사가 되었어요. 하지만 건강이 악화되어 유럽 각지로 요양을 떠났답니다.

이러한 여행 경험이 스티븐슨의 작품에 좋은 밑거름이 되었어요.

그 후 〈보물섬〉, 〈지킬 박사와 하이드〉, 〈발란트래 경〉과 같은 많은 화제작을 발표했답니다.

▼ 스티븐슨은 여러분이 잘 알고 있는 〈보물섬〉의 작가이기도 해요.

생각의 날개를 펼쳐요!

사람들의 마음 속에는 정말 악마가 살고 있나요?

모두 〈지킬 박사와 하이드〉를 재밌게 읽으셨나요? 〈지킬 박사와 하이드〉는 사람들의 마음 속에 숨겨져 있는 선과 악에 대한 이야기입니다. 그리고 그것을 잘못 사용하게 되면 얼마나 큰 불행에 빠지는지를 보여 주는 작품이지요.

여러분도 때때로 나쁜 마음이 생기는 순간을 경험한 적이 있을 거예요. 어른들께서 동생과 나누어 쓰라고 주신 용돈을 혼자 갖고 싶다거나, 학용품을 사야 할 돈으로 PC방에 가고 싶었던 경험 말이지요. 해서는 안 되는 일이라는 걸 분명히 알면서도 우리는 나쁜 행동을 하고 싶어질 때가 종종 있어요.

만약 여러분이 투명 인간이 되었다고 생각해 보세요.

아무리 나쁜 행동을 해도 다른 사람이 볼 수 없다면 그 동안 혼날까 봐 하지 못했던 행동들을 마음 놓고 하게 될까요? 아니면 누가 보거나 보지 않거나 상관하지 않고 착한 일만 할까요?

아무도 보지 않을 때도 착한 일을 하는 것은 쉽지 않을 거예요. 착하게 살려고 노력하지만 나쁜 마음은 늘 우리를 유혹하니까요. 그렇지만 한 번쯤은 선과 악, 어느 한 쪽을 선택해야만 해요. 그런 선택의 순간에 여러분은 어떻게 행동할 건가요?

나는
착하게 살 거야.
흥, 생각처럼
쉽지는 않을걸?

이야기 속에서 지킬 박사는 언제나 선행을 베풀며 살아왔지만 악의 유혹을 이기지 못하고 결국 하이드라는 괴물을 만들었어요. 모습이 변한 지킬 박사는 그 동안 못 했던 나쁜 짓들을 마음껏 저지르게 되었지요.

자신의 만족을 위해서, 혹은 삶의 무거운 짐을 덜기 위해서, 사람들은 종종 하이드로 변신하곤 해요.

해서는 안 되는 일인 줄 알면서도 나쁜 행동을 하는 사람들을 우리는 흔히 볼 수 있어요. 생활이 어렵다는 이유로 아이나 노인을 버리는 사람들, 자신의 욕심을 채우기 위해서 도둑질을 하거나 사기를 치는 사람들, 다른 사람을 죽이거나 폭력을 행사하는 사람들이 참 많아요.

마음 속의 하이드를 선택한 사람들은 어떻게 될까요? 욕망을 마음껏 표출하면서 행복하게 살 수 있을까요? 그렇지 않아요. 여러분은 신문이나 뉴스를 통해서 하이드가 된 사람들의 최후를 많이 보았을 거예요.

범죄를 저지른 사람들은 결국 감옥에 가거나 평생을 숨어 살게 되지요. 법의 그물망을 교묘하게 벗어나더라도 다른 사람들의 손가락질을 받으면서 살게 된답니다.

넌 감옥행이야.

잘못했어요…… .

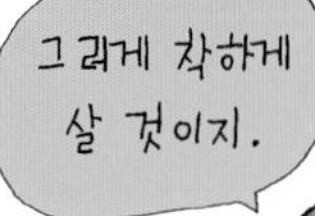

그러게 착하게 살 것이지.

우리 안에도 하이드는 분명히 살고 있어요.

악한 마음 속에는 욕심이라는 무기가 들어 있지요. 그 무기는 무척 강하기 때문에 선한 마음은 악한 마음을 쉽게 이길 수 없어요. 우리가 양심을 버리고 악한 마음에 끌려다니게 될 때 우리 안의 하이드는 나타날지도 모릅니다.

그러나 사람들 모두가 욕망이 시키는 대로 함부로 범죄를 저지른다면 사회는 금세 파괴되고 말 거예요.

걸리면 감옥에 가니, 내 맘대로 나쁜 짓을 할 수도 없네, 쩝.

그래서 사회는 사람들이 자기의 욕망대로 살지 못하도록 법과 도덕을 만들었어요. 선한 일을 한 사람은 상을 받고, 악한 일을 한 사람은 벌을 받는 사회의 질서가 만들어지게 된 것은 이러한 이유 때문이랍니다.

지킬 박사는 자신의 본모습을 하고 있을 때는 나쁜 짓을 하지 못했어요. 다른 사람의 시선이 두려웠기 때문이에요.

사회가 정해 놓은 법과 질서를 어기면 다른 사람들에게 손가락질을 받거나 감옥에 가야 하니까요.

우리 마음 속에 존재하는 악을 다스릴 수 있는 것은 사회의 질서랍니다. 만약 강제적인 규칙이 없다면 사람들은 악한 마음을 다스리기 어려울 테니까요.

그렇다고 경찰 아저씨가 없는 곳에서 무단 횡단을 하거나, 아무도 없는 곳에 슬쩍 쓰레기를 버리면 안 되겠지요? 보는 사람이 없더라도 양심에 따르는 행동을 하는 것이 내 안의 하이드를 이겨내는 방법이니까요.

법은 우리 사회에 꼭 필요한 것이구나. 법이 없다면 사람들은 모두 하이드로 변할 거야.
꼭 그렇지는 않아. 법이 없어도 스스로의 양심에 따라 선행을 베푸는 사람들도 많다고.

PART 4

논술 워크북

준비 됐나요?
그럼 신나게 논술을
배워 보자고요!

논술 워크북

1-1 하이드는 누구인가요?

1-2 지킬 박사는 결국 자살을 택하고 말았습니다. 누구에게나 목숨은 귀중한 것임에도, 지킬 박사는 고민 끝에 스스로 목숨을 끊었습니다. 지킬 박사가 자살한 이유는 무엇인가요?

HINT

다음 내용을 참고해 보세요.

"여러 번의 실험으로 나는 내 영혼을 선과 악으로 분리하는 데 성공했다. 더구나 선이 완전히 사라진 악인이 될 때는 헨리 지킬이 아닌, 완전히 다른 몸으로 변하게 되었다."

-제9장

그리고 지킬 박사가 자살하지 않았다면 어떻게 되었을까도 함께 생각해 보면, 그가 자살을 선택한 이유를 알 수 있을 겁니다.

2 하이드는 길을 건너던 소녀가 자기와 부딪혀 넘어지자, 그 아이를 일으켜 세우기는커녕 오히려 그 소녀를 발로 밟았습니다. 다른 사람들이 비난하자 하이드는 사과하지도 않고 100파운드의 돈으로 그 상황을 해결했습니다. 하이드가 나쁜 짓을 하고도 도망가지 않은 이유는 무엇일까요?

HINT

우리는 다른 사람과 부딪히면 미안하다고 사과합니다. 그런데 만약 내가 누군가를 때리고 싶을 정도로 기분이 나쁘다면 다른 사람과 부딪혔을 때 도리어 화를 낼 것입니다. 그 때 주위의 모든 사람들이 내 행동을 비난하면 슬그머니 꼬리를 내릴 것입니다. 왜 그럴까요? 그것은 도리어 내가 해를 입을 수도 있기 때문일 것입니다.
하지만 하이드는 나쁜 마음만을 가지고 있는 사람입니다. 이 사실을 알고 있다면 그가 왜 돈으로 그 일을 해결했는지에 대해 설명하는 것은 쉽겠지요?

3 만약 글자가 없었다면 지킬 박사는 물론이고, 지킬 박사에 관한 진실을 먼저 알았던 래년 박사도 편지를 남길 수 없었을 것입니다.
만약 여러분이 지킬 박사나 래년 박사라면 어떻게 그 사실을 알리겠습니까?

HINT

사람들은 문자 또는 글자가 있어야 기록을 남길 수 있습니다. 역사학자들은 글자가 없던 시대, 즉 선사 시대를 연구할 때 기록이 아니라 그들이 남긴 돌멩이나 기타 삶의 흔적을 통해서 그 시대를 연구합니다. 그것도 아니라면 말로 전해 내려온 신화나 민담을 통해 그 시대에 대해 연구할 수밖에 없을 것입니다.
여러분은 만약 글자가 없다면 어떻게 자신의 생각을 다른 사람에게 전하겠습니까?

4 여기 알약이 있습니다. 그 약을 먹으면 기분도 좋아지고 힘도 세지고, 나쁜 짓을 해도 다른 사람들에게 전혀 미안한 느낌도 들지 않을 뿐만 아니라 다른 사람은 누가 그 일을 했는지도 모릅니다.
여러분은 그 약을 먹어 보고 싶나요?

〈보기〉

주장 1 나는 그 약을 딱 한 번만 먹어 보겠다.

주장 2 나는 그 약을 절대로 먹지 않겠다.

- **나의 주장**

- **주장에 대한 이유**

HINT

사람의 마음에는 선과 악이 함께 있습니다. 하지만 사회의 관습과 질서, 주위의 시선 때문에 나쁜 짓을 하고 싶어도 하기가 어렵습니다. 법률이나 양심의 가책도 중요한 문제겠죠.

5 지킬 박사와 하이드는 같은 사람인가요? 다른 사람인가요? 여러분의 생각을 말해 봅시다.

나는 나의 쾌락을 위해 수많은 범죄를 저질렀다. 지킬일 때는 사람들의 존경을 한 몸에 받고 하이드가 되어서는 온갖 자유를 만끽했다. 이런 생활이 반복되다 보니 아무리 큰 죄를 지어도 양심의 가책을 느끼지 않게 되었다.

댄버스 경을 살해하기 얼마 전에도 그랬다. 하이드가 되어 밤늦게까지 돌아다닌 나는 지킬로 돌아가 침대에 누웠다. 다음 날 아침 눈을 떴을 때 뭔가 이상한 느낌에 사로잡혔다. 천천히 주위를 둘러보아도 그런 느낌은 없어지지 않았다. 내가 어제 잠든 곳이 아닌 듯한 느낌이었다.

- 제9장

다음 〈보기〉의 주장에서 하나를 선택하세요. 그리고 주장에 대한 이유를 적어 보세요.

〈보기〉

주장 1 지킬 박사와 하이드는 같은 사람이다.

주장 2 지킬 박사와 하이드는 다른 사람이다.

- **나의 주장**

- **주장에 대한 이유**

HINT

지킬 박사와 하이드는 같은 사람이라고 주장할 수도 있고 다른 사람이라고 주장할 수도 있습니다. 같은 사람이라면 몸이 하나라는 점이 중요하겠지요? 그리고 다른 사람이라고 주장하는 사람은 정신이 다르다는 이유를 이야기할 것입니다. 자신의 주장이 무엇인지는 항상 중요합니다. 그러나 주장보다 더 중요한 것은 그 이유입니다. 이유가 적절해야 주장에도 설득력이 있으니까요.

6 논술 5단계에서 자신의 주장과 이유를 생각해 보았을 것입니다. 그렇다면 그 내용을 중심으로 자신만의 글을 써 보세요. 그리고 엄마와 친구들에게 내가 쓴 글을 보여 주거나 그 글을 크게 읽어 보세요.

HINT

글을 쓸 때는 자신감 있게 쓰는 것이 중요합니다. 자신감을 가지고 써야 다른 사람들도 재미있게 읽을 수 있습니다.

가이드북

GUIDE BOOK

〈지킬 박사와 하이드〉에 대하여

지킬 박사는 사람의 마음에서 나쁜 마음을 분리시킴으로써 자기가 마음먹은 대로 자유롭게 행동하는 하이드를 만들어 냅니다. 그럼에도 불구하고 지킬 박사는 인간의 본래 마음은 착하다는 것을 보여주고 있습니다. 결국에는 악한 마음을 가진 하이드가 자기 멋대로 행동하지 못하게 하기 위해 자살하고 말기 때문입니다. 이 작품은 인간의 마음 속에 감추어진 악한 마음과 선한 마음의 대립이 핵심이라고 할 수 있습니다.

작품의 전체 줄거리

지킬 박사의 친구 어터슨은 하이드라는 인물이 나쁜 짓을 하고 다닌다는 사실을 알게 됩니다. 하이드는 나쁜 짓을 저지르고는 어디론가 숨어 버려서 찾을 수가 없습니다. 한편 어터슨의 친구인 지킬 박사는 자신이 죽거나 사라지면 자신의 유산을 하이드라는 사람에게 물려주라는 이상한 유언장을 남기고는 다른 사람들을 잘 만나지 않으려고 합니다.

그러던 어느 날 어터슨은 지킬 박사의 연구실에 들어가게 됩니다. 그 곳에 하이드가 들락거린다는 집사의 이야기 때문이지요. 거기 누워 있는 것은 죽은 하이드(지킬 박사)였습니다. 지킬 박사가 남긴 편지로 인해 사건의 전모가 밝혀집니다.

지킬 박사는 인간에게 선과 악의 두 가지 마음이 있지만, 나쁜 마음만을 가진 사람으로 변할 수 있다고 생각했습니다. 그래서 나쁜 마음만을 가진 사람으로 변신할 수 있는 약을 개발한 것입니다. 지킬 박사는 자신이 계속해서 하이드로 남게 될 것을 두려워합니다. 그리하여 결국 그는 자살합니다.

〈지킬 박사와 하이드〉의 의미

인간은 선과 악이라는 두 마음을 가지고 있습니다. 그런데 어떤 것이 본래의 마음일까요? 〈지킬 박사와 하이드〉는 이와 같은 질문을 던지고 있습니다.

스티븐슨이라는 작가는 〈지킬 박사와 하이드〉를 통해 인간이 가지고 있는 마음의 이중성(二重性)을 다루고 있습니다. 그런 점에서 〈지킬 박사와 하이드〉의 주제는 철학적이라고 말할 수 있습니다.

인간의 마음이 원래 선한지 또는 악한지를 생각하면서 읽는다면 〈지킬 박사와 하이드〉를 깊이 있게 읽을 수 있습니다. 우리는 각자의 마음 속에 '지킬 박사'와 '하이드'라는 두 개의 마음을 가지고 있다고 말할 수 있습니다. 아무리 착한 사람이라고 해도 종종 악한 생각을 하니까요.

1-1 사고 영역 _ 사실적 이해

본문의 내용을 잘 이해했는지 알아보기 위한 문제입니다. 힌트를 참조하여 〈지킬 박사와 하이드〉에서 가장 중요한 내용을 생각해 봅니다.

선한 마음과 악한 마음 중에서 선한 마음을 없애고 악한 마음만을 가진 지킬 박사의 모습이 바로 하이드입니다. 즉 하이드는 지킬 박사가 가지고 있던 나쁜 마음이라고 할 수 있습니다.

제목이 왜 〈지킬 박사와 하이드〉인지를 생각하도록 합시다.

1-2 사고 영역 _ 사실적 이해

본문의 결말을 얼마나 잘 이해했는지 알아보고 정리하는 문제입니다. 9장에 나타난 지킬 박사의 갈등을 정리해 봅니다.

지킬 박사는 자신이 원하지 않는 순간에도 하이드로 변해 버릴 수 있다는 사실을 알았습니다. 하이드로 변하면 본래의 선한 마음으로 쓴 유언장이나 기록을 갈기갈기 찢어 버릴 것 또한 알고 있었습니다. 그리고 만약 계속해서 하이드로 남게 되면 자신은 나쁜 행동만을 할 것이고, 그렇게 되면 너무나 괴로울 것 같았습니다. 때문에 지킬 박사는 자살을 결심했습니다.

CHECKPOINT

지킬 박사가 자살한 이유는 악한 마음의 하이드를 더 이상 억제할 수 없었기 때문입니다.

2 사고 영역 _ 비판적 사고

소설 속 주인공이 했던 행동의 적절한 이유를 생각해 보는 문제입니다.

하이드는 나쁜 마음을 가지고 있지만 소녀를 밟은 후, 도망가거나 싸운다면 더 나쁜 결과가 올 수 있다고 생각했을 것입니다. 감옥에 갈 수도 있었겠지요. 그러니까 다른 사람들과 싸우지도 않고 도망가지도 않았을 것입니다.

또한 하이드는 자신이 저지른 행동을 결코 부끄럽게 생각하지 않았습니다. 그렇기 때문에 도망치는 대신 돈으로 해결하려 했던 것입니다. 하이드는 정말 양심의 가책을 느끼지 않는 악한 사람이었던 것입니다.

CHECKPOINT

본성이 아주 나쁜 사람이라도 주위의 이목과 사회의 법률이 그 사람이 더욱 나쁜 행동을 하는 것을 막아 줍니다. 사람들이 자기 마음대로만 행동하려고 해도 그 결과가 자신에게 좋지 않은 결과를 가져다 준다면 아무리 악한 사람이라고 해도 나쁜 짓을 계속하지 않을 것입니다.

3 사고 영역 _ 창의적 사고

본문에 나오지 않은 것을 자유롭게 상상하면서 자신의 독특한 견해를 만들어 나가는 문제입니다.

만약 글자가 없었다면 지킬 박사와 래년 박사는 유언장을 남길 수 없었을 것입니다. 그런 경우에 다른 사람들에게 말을 하여 전하는 것도 하나의 방법이겠지요. 그런 방법 말고 어떤 방법이 있을까요? 여러분은 더 좋은 방법을 알고 있을지도 모릅니다.

아무것도 남길 수 없다는 말은 전혀 도움이 되지 않습니다. 다양하고 기발한 방법을 생각해 보도록 유도해 주십시오.

4 사고 영역 _ 논리적 사고

생각할 거리에 대한 자신의 주장을 마련하도록 하는 문제입니다. 나는 왜 이런 선택을 하는지 그 이유를 생각해 보는 문제입니다.

다음 글은 여러 가지 답변 중 하나입니다.

'나는 그 약을 딱 한 번만 먹어보겠다.' 는 주장의 근거

한 번쯤 그 약을 먹어서 내 마음대로 행동하는 것도 재미있을 것이다. 다른 사람들이 내가 한 행동을 모른다면 내 마음 속에 가지고 있던 생각을 실제로 해 보는 것도 나를 아는 한 가지 방법일 것이다.

'나는 그 약을 절대로 먹지 않겠다.' 는 주장의 근거

그 약을 먹고 저지를 나쁜 행동은 다른 사람들만이 아니라 나 자신에게도 전혀 도움이 되지 않을 것이다. 나중에 내가 한 행동에 대해서 지킬 박사처럼 양심의 가책을 받을 것 같다.

CHECKPOINT

어떤 행동이나 주장을 하기 위해서는 확실한 근거를 제시하는 것이 중요합니다.

5 사고 영역 _ 논리적 사고

주장은 둘 중의 하나입니다. "지킬 박사와 하이드는 같은 인물이거나 다른 인물이다." 에서 하나의 주장을 선택해야 합니다. 중요한 것은 그 이유입니다.

주장 1은 지킬 박사와 하이드는 같은 사람이라는 주장입니다. 이러한 주장에 대한 근거는 다음과 같습니다.

주장 1의 근거 : 약물을 먹고 한 행동도 단지 제정신에서 한 것이 아닐 뿐이지 그 사람이 한 행동이라고 생각해야 한다. 같은 몸을 가진 사람이 저지른 행동이기 때문이다.

주장 2는 지킬 박사와 하이드는 다른 사람이라는 주장입니다. 주장에 대한 근거는 다음과 같습니다.

주장 2의 근거 : 한 사람은 하나의 마음을 가지고 있지만 지킬 박사와 하이드는 각각 다른 마음을 가지고 있기 때문이다.

CHECKPOINT

자신의 주장은 자신이 정하는 것입니다. 그 주장에 대해 그 이유를 들어 보기 전까지는 누구도 이상하다고 말할 수 없습니다. 그런데 나와 의견이 다른 친구들은 어떤 이유를 이야기할까요?

5단계 문제에 대한 학생들의 다양한 글입니다. 지도에 참고하시기 바랍니다.

나의 주장 : 지킬 박사와 하이드는 같은 사람이다.

지킬 박사와 하이드는 같은 사람이다. 사람은 착한 성격과 나쁜 성격을 모두 가지고 있다. 내가 항상 착하게 살다가 나쁜 행동을 했다 해도 그것은 여전히 내가 한 행동이다. 하이드의 악한 행동 역시 지킬 박사가 한 것으로 볼 수 있다. 왜냐하면 지킬 박사의 행동은 하이드의 나쁜 성격이 표출된 하나의 상징이기 때문이다.

지킬 박사가 약을 먹는 것과, 사람이 나쁜 행동을 하고 싶은 충동을 느끼는 것은 같은 이치다. 지킬 박사는 자신이 약을 먹으면 어떻게 되는지를 알고 있었는 데도 약을 먹었다. 약을 먹고 한 행동도 단지 제정신에서 한 것이 아닐 뿐이지 그 사람이 한 행동이라고 해야 한다. 같은 몸을 가진 사람이 저지른 행동이기 때문이다.

약에 의해 다른 마음이 생겼다고 해서 그 사람이 아니라면, 누군가가 마약을 먹고 자기 정신이 아니었다고 할 때도 그 사람을 다른 사람이라고 보아야 할 것이다. 하지만 그런 경우에도 나쁜 짓을 한 바로 그 사람이 벌을 받는다. 그러므로 지킬 박사와 하이드를 다른 사람으로 볼 수 없다.

나의 주장 : 지킬 박사와 하이드는 다른 사람이다.

지킬 박사와 하이드는 다른 사람이다. 한 사람은 하나의 마음을 가지고 있다. 그런데 지킬 박사는 하이드가 되었을 때는 지킬 박사의 마음을 전혀 가지고 있지 않다. 지킬 박사는 착한 성격과 나쁜 성격을 모두 가지고 있지만, 하이드는 나쁜 성격만을 가지고 있는 사람이다. 그러므로 그들은 각각의 마음을 가진 별개의 사람이라고 말할 수 있다.

사람은 자신이 무슨 행동을 했는지 알 수 있고 자신의 감정을 조절할 수 있다. 그러나 지킬 박사는 하이드가 나쁜 행동을 했다는 것을 알기는 해도 하이드가 되었을 때는 자신의 감정을 조절하지 못한다. 따라서 그들은 같은 사람이라고 할 수 없다.

그리고 내가 한 행동은 다른 사람들이 알 수 있다. 그러나 하이드가 한 행동이 지킬 박사가 한 행동이라는 것을 다른 사람들은 알 수가 없다. 지킬 박사와 하이드는 마음만 다른 것이 아니라 그 모습까지도 전혀 다르다. 그러므로 지킬 박사와 하이드는 전혀 다른 사람이라고 할 수 있다.

CHECKPOINT

자신의 주장과 이유에 대해 자신감을 가지고 쓰는 것이 중요합니다. 정해진 결론이 있는 것은 아니니까요.

1 동물농장
2 걸리버 여행기
3 좁은문
4 돈 키호테
5 죄와 벌
6 정글북
7 지킬 박사와 하이드
거북선
이순신 장군은
거북선을 타고
전쟁터에
나가셨지.

내 사랑 고로케 씨. 전쟁에 나가서 꼭 살아와야 해!
전쟁터에 꽃피는 사랑과 야망. 논술 명작 8권은 불후의 명작 〈전쟁과 평화〉야!
오늘은 무슨 요리를 해 먹을까? 거북이알 프라이~
논술 명작 8
전쟁과 평화